'Hij was zodanig in zichzelf verzonken en van alle mensen vervreemd dat hij zelfs iedere ontmoeting en niet slechts die met zijn hospita vreesde. Hij ging onder de armoede gebukt. (...) al die aanmaningen om te betalen, al die dreigementen, al die klachten en daarbij nog die noodzakelijkheid om zich in alle mogelijke bochten te wringen en allerlei uitvluchten en leugens te verzinnen, neen dan leek het hem beter om als een kat de trap af te sluipen en zonder dat iemand hem zag, er vandoor te gaan.'

Schuld en boete, F.M. DOSTOJEVSKI
[Vertaling S. van Praag]

Onorthodoxe oplossingen voor onbetaalde rekeningen

van**gennep**
amsterdam

Verlossing van schuld en boete verschijnt als jaarboek bij
het *Tijdschrift voor Sociale Vraagstukken*, een uitgave van Movisie

Eerste druk september 2014

© 2014 *Tijdschrift voor Sociale Vraagstukken* | Uitgeverij Van Gennep
Nieuwezijds Voorburgwal 330, 1012 RW Amsterdam
Ontwerp omslag Léon Groen
Drukwerk Bariet, Steenwijk
ISBN 978 94 6164 327 8 | NUR 756

www.socialevraagstukken.nl
www.uitgeverijvangennep.nl

De gemeente Amsterdam en zorgverzekeraar Agis willen het anders gaan doen. Tot nog toe stuurden ze mensen die hun zorgpremie niet betalen betalingsherinneringen en incassobrieven. Daarna volgden boetes[1] en doorgaans weer nieuwe aanmaningen, omdat de schulden van deze groep – juist door de boetes – alleen maar stijgen. De nieuwe aanpak moet, anders dan de traditionele nadruk op incassoprocedures en juridische rechtmatigheid doet, mensen weer grip geven op hun betalingen. Een belangrijk element is een andere attitude van de betrokken maatschappelijk werkers: zij moeten mensen ondersteunen bij het herpakken van hun financiële zaken. De hulpverleners proberen te voorkomen dat de achterstanden verder oplopen – samen met de verzekeraar, die ervoor zorgt dat minimaal altijd de verzekeringspremie wordt betaald. De norm blijft dat de schulden worden afgelost, maar de bedoeling is dat deze minder worden omgeven met de onrust en stress van oplopende boetes, dreigbrieven en deurwaarders.

Of deze aanpak succesvol is, moet nog blijken, maar het voorbeeld sluit aan bij het prille en groeiende inzicht dat het bij schulden niet alleen gaat om een juridisch, maar zeker ook om een sociaal en sociaal-psychologisch vraagstuk (Jungmann 2012; Mullainathan & Shafir 2013). Steeds duidelijker wordt bijvoorbeeld dat mensen die diep in de schulden zitten in een psychologische dynamiek terechtkomen die hen belemmert aan een duurzame oplossing te werken. Als de brieven en aanmaningen zich blijven opstapelen, zakken ze niet alleen financieel maar ook mentaal steeds verder weg, waardoor een uitweg onzichtbaar wordt. De klassieke benadering van aanmaningen en straf helpt dan ook niet meer om van hun schuld af te komen. Woningcorporatie Smallingerland in Drachten besloot om deze reden al eerder om mensen met financiële problemen – zwakbegaafde huurders en risicogroepen met een zeer laag inkomen (RMO 2006) – te ondersteunen. Het gevolg? Een afname van de schulden van de huurders en 70 procent minder huisuitzettingen per jaar. De aanpak verdient zichzelf terug, omdat de woningcorporatie de kosten voor deurwaarders, schoonmaak en opslag bespaart. In plaats van kosten te maken, wordt er nu geïnvesteerd in de zelfredzaamheid van kwetsbare mensen.

In dit boek benaderen we de schuldencrisis niet alleen als een financieel probleem, maar ook als een crisis in menselijke gedragingen en maatschappelijke verhoudingen. Wat zien we als we naar schulden kijken door een psychologische, antropologische of politiek-filosofische bril? Welke oplossingen komen er dan in beeld? Het boek gaat niet alleen over kwetsbare mensen die diep in de schulden zitten, maar ook over andere groepen. In 2014 lukt het maar liefst 100.000 Nederlanders niet meer om hun hypotheek te betalen (Bureau Krediet Registratie 2014). Ook staan ruim 1,4 miljoen huishoudens 'onder water'. De waarde van hun huis is lager dan de hypotheek, met alle financiële risico's van dien bij bijvoorbeeld echtscheiding of werkloosheid. Niet alleen huishoudens, ook overheden hebben een schuldenprobleem. De Nederlandse staatsschuld is inmiddels opgelopen tot 1,2 biljoen euro, wat neerkomt op 26.000 euro per persoon.

De welvaartsgroei in Nederland ging de afgelopen decennia gepaard met toenemende schulden van overheden, bedrijven en huishoudens. Deze groei mondde uit in de jarenlange crisis waar we nu in zitten. De crisis is zo ingrijpend dat vrijwel alle aandacht uitgaat naar het oplossen van de schulden, met name door te budgetteren en te bezuinigen. Deze gerichtheid is begrijpelijk, maar ten onrechte kan de indruk ontstaan dat door deze wijze van omgaan met schulden ook de mechanismen worden aangepakt die eraan ten grondslag liggen. Zoals paracetamol verlichtend werkt bij spanningshoofdpijn maar de oorzaken niet wegneemt, zo wordt ook met schuldsanering en -beheersing het achterliggende maatschappelijke proces niet beteugeld.

Virtuele economische groei

De welvaart is de afgelopen decennia onder meer toegenomen doordat Nederland en de overige westerse landen op de pof zijn gaan leven (Manning 1990; Shiller 2005; Lewis 2011; Kalse & Vendrik 2014). De *incentives* die banken kregen om, in de vorm van schulden, meer en meer geld in omloop te brengen, liggen hieraan ten grondslag. Banken zijn geldscheppende en sinds de ~~~~~~ zou hebben geleid.

Engelen (2012) stelt dat de banken meer bezig waren met dienstverlening aan elkaar dan met scenario's voor het weer gezond maken van de balansen. Met van elkaar geleend geld en op basis van onderpanden die ze eveneens van elkaar gekocht hadden, verkochten ze elkaar producten (securitisaties), waarvan de financiële risico's op een gegeven moment niet meer duidelijk waren. Deze handel in securitisaties legde de bankiers echter geen windeieren: hun bonussen rezen de pan uit, wat weer als *incentive* werkte om de buffers van de banken nóg verder te verlagen om nóg meer geld te creëren en nog meer nieuwe securitisaties in omloop te brengen. Engelen (2012, p. 57) vergelijkt de bancaire sector met 'antiekhandelaren op een onbewoond eiland die elkaar steeds opnieuw hetzelfde biedermeier tafeltje voor steeds meer geld verkopen en daar goed van kunnen leven'.

De zeepbel die zo ontstond, spatte in 2008 uiteen in de Verenigde Staten en niet veel later in de rest van de westerse wereld. Consumenten en huishoudens werden opeens geconfronteerd met de last van de leningen, die zij met steeds groter gemak waren aangegaan. Zo populair als de tulpen uit Turkije waren in het zeventiende-eeuwse Nederland – de Tulpenmanie wordt gezien als een van de eerste zeepbellen – zo populair waren aan het begin van deze eeuw de huizen. De prijzen leken alleen maar te kunnen stijgen, waardoor mensen de overwaarde van hun huis gingen benutten om meer te kunnen consumeren. 'Je kon er goed van op reis of eindelijk die mooie boot aanschaffen en dat huis behield zijn waarde wel, sterker nog: het nam in waarde toe. Het huis werd zo een pinautomaat voor een maatschappij die consumeren tot hoogste doel leek te hebben verheven' (Kalse 2014, p. 211).

Inmiddels zit Nederland in het diepste economische dal sinds de crises van de jaren tachtig en, volgens sommigen, de jaren dertig (Den Bakker 2009). Sinds

2008 zijn de huizenprijzen met gemiddeld 19 procent gedaald, verdubbelde het aantal mensen dat gebruikmaakt van schuldhulpverlening[2] (zie figuur 1), verdubbelde de werkloosheid[3] en nam het reëel beschikbare gezinsinkomen sterk af, terwijl de kosten voor levensonderhoud juist stegen. Het consumentenvertrouwen was de afgelopen jaren dan ook historisch laag. In februari 2013 bereikte dit het laagste punt ooit[4], waarna het nog verder kelderde (CBS 2013). Mensen zijn bezorgd over verdere waardedalingen van hun huis, de omvang van hun pensioen, de mate waarin publieke voorzieningen betaalbaar blijven en of ze hun baan behouden. Hoe minder ze kunnen en durven uit te geven, hoe verder de economie in het slop raakt.

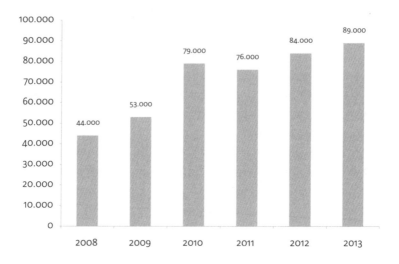

Figuur 1. Aantal aanmeldingen voor schuldhulpverlening (2008-2013)

(Bron: NVVK (2014))

Sommige economen gaan uit van een dip van enkele jaren, waarna alles weer normaal zal worden. Reinhart en Rogoff (2014) constateren dat de welvaart na een systeemcrisis bij banken gemiddeld na acht jaar weer op peil is. Anderen stellen dat de huidige crisis een aankondiging is van een fundamenteel nieuwe situatie, met een structureel lager welvaartsniveau in het verschiet. Topbelegger Mohamed El-Erian spreekt van *the new normal* (zie Goldberg 2010) en in Nederland wees

Paul Schnabel er als een van de eersten op dat 'de echte groei van de welvaart in
West-Europa ten einde is' *(de Volkskrant, (...........)*

van hun financiële vangnet dat de bodem onder hun bestaan wegvalt.

It's the society, stupid

Dat de welvaartsgroei voor een belangrijk deel kon ontstaan door het aangaan
van steeds meer schulden, betekent voor burgers, bedrijven en banken dat ze hun
balansen weer zullen moeten versterken. Dat er geen snelle, pijnloze oplossingen
zijn, is inmiddels duidelijk, maar welke oplossingen zijn er wel?

Opvallend is dat het vooral economen en financieel specialisten zijn – bankiers,
beleggers, financieel woordvoerders, ondernemers en financieel journalisten – die
het publieke debat hierover bepalen. Zij kruisen de degens met elkaar over de
bezuinigingen, de euro, het gezond maken van (het toezicht op) de banken, de
lonen, rentestanden en overige instrumenten om de schuldenrisico's weer be-
heersbaar te maken. Deze overdaad aan specialistische kennis van economen is
echter ook een beperking. Velthuis en Noordegraaf-Eelens (2009) wijzen op de
schijnzekerheid van de financiële rekenmodellen waarop veel strategische keuzes
van banken en overheden zijn gebaseerd. Zo is het Centraal Planbureau (CPB)
de algemeen erkende autoriteit van Nederland op het gebied van economische
analyses en prognoses, maar in hoeverre vangen de econometrische modellen van
het CPB de complexe en wispelturige economische werkelijkheid?

Ook in de beroepspraktijk bestaat de neiging het schuldenvraagstuk als een
financieel-technische kwestie te benaderen. Schuldhulpverleners maken gebruik
van standaardprotocollen bij het realiseren van financiële stabiliteit; deurwaarders
en incassobedrijven innen de schulden, met processen die in hoge mate zijn inge-

richt op rechtmatigheid en standaardisatie (bij elke debiteur dezelfde stappen in dezelfde volgorde) (Jungmann 2012); gemeenten voeren de Wet schuldsanering natuurlijke personen (Wsnp) uit; rechters komen in actie als minnelijke trajecten niet slagen. Toegegeven: tot op zekere hoogte hebben betrokken beroepsgroepen ook oog voor de sociale aspecten van schulden, zoals gezondheidsproblemen, psychische stoornissen, schaamte en eenzaamheid.

Maar schuldhulpverleners en incassomedewerkers blijven toch overwegend bij hun financiële leest. Dat is begrijpelijk, maar biedt weinig ruimte voor bezinning op de vraag wat voor kwestie schulden ten diepste zijn. In hoeverre worden mensen bedoeld of onbedoeld met schulden opgezadeld en welke maatschappelijke factoren spelen daarbij een rol? Wat zeggen schulden over de verantwoordelijkheden die mensen nemen en welke gedragsaspecten van schuldenaren én schuldeisers zijn daarop van invloed? Wie bepaalt wat mensen toekomt en welke belangen en machtsmotieven zijn daarbij aan de orde? Bill Clinton viel George Bush senior tijdens de verkiezingscampagne van 1992 aan met de opmerking 'It is the economy, stupid', maar wordt het na ruim twintig jaar niet tijd het vizier op de samenleving te richten? Volgens Klamer (2013) zouden hedendaagse politici zich primair moeten bezighouden met het gebrekkige functioneren van de samenleving. Waar het volgens hem om moet gaan, 'is werken aan het herstel van vertrouwen, betrokkenheid en solidariteit en het staan voor fatsoen en beschaving in de onderlinge omgang. "It's the society, stupid"' (p. 1).

Tijdens de schuldencrisis in de jaren tachtig kampten Bolivia, Uruguay, Argentinië en Brazilië met enorme schulden (Klein 2013). Deze hadden zich onder invloed van de nietsontziende dictators opgestapeld, ten faveure van de bankrekeningen van dezelfde alleenheersers. Na hun val werden de schulden automatisch aan de nieuwe, democratisch gekozen regeringen overgedragen. Hoewel deze regeringen en hun bevolking part noch deel hadden gehad aan de totstandkoming van de schuldenberg, stond het Internationaal Monetair Fonds (IMF) erop dat het volledige bedrag zou worden terugbetaald. Alleen al de rentelast was hoger dan het totale bruto binnenlands product. Toen de Federal Reserve Bank de rente ook nog eens enorm verhoogde, steeg de schuldenlast tot onhoudbare proporties, met hyperinflatie, massawerkloosheid en sociale onrust als gevolg.

Hoewel het moeilijk is vol te houden dat in dit voorbeeld het niet meer kunnen terugbetalen van de schulden de essentie is van het probleem, was dat vanuit

het enkelvoudig financiële standpunt van het IMF wel het geval. Volgens Klein
(2013) kwam deze situatie het IMF ook niet slecht uit, omdat ~~~~~~~~

Immateriële aspecten van schuld

In *Schuld. De eerste 5000 jaar* laat Graeber (2012) zien dat schulden altijd verbonden zijn geweest met macht en uitbuiting. Denk aan de onmogelijk hoge
herstelbetalingen die Duitsland na de Eerste Wereldoorlog kreeg opgelegd en
de kettingreactie van agressie en geweld die daar decennialang op volgde. Een
hedendaags voorbeeld zijn de Nigeriaanse vrouwen die van mensenhandelaren
een enkeltje Nederland krijgen voorgeschoten, maar vervolgens als prostituee zo
weinig verdienen dat ze hun schuld niet krijgen afbetaald.

Ook in 'normale' schuldenrelaties is er sprake van interdependenties en
afhankelijkheden, waarbij machtsmotieven van zowel de gever als de ontvanger
van de schuld een rol kunnen spelen. De antropoloog Marcel Mauss constateerde
al in 1923 dat de verwachting van een tegenprestatie bewust of onbewust ten
grondslag ligt aan elke gift, niet alleen in westerse maar ook in overige culturen
(Mauss 1990 [1923]).

De waardering van schuld als louter een economisch vooruitgangsprincipe
waarbij je er beter van wordt door met geleend geld te investeren, lijkt te zijn in-
gehaald door de economische crisis. 'Schuld' gaat niet alleen over een financieel
productiesysteem. Ook immateriële kwesties als onderdrukking, corruptie, straf,
boetedoening en solidariteit spelen een rol. In het maatschappelijke debat over
bonussen voor bestuurders – de 'graai-cultuur' – worden deze aspecten van schuld
zichtbaar (zie bv. Van Oenen 2013). Binnen het paradigma dat het systeem almaar
moet doorgaan om zich in stand te houden, bieden ondoordachte kwijtschelding

en het plukken van een kale kip geen uitkomst. Is deze patstelling te doorbreken door bij de aanpak van schulden ook de sociale en morele aspecten van schulden mee te nemen? Is de tijd rijp voor een andere schuldenbenadering?

Opbouw van dit boek

Dit boek gaat over wat in beeld komt als we schulden breed maatschappelijk bezien – niet alleen op het niveau van individuen en huishoudens, maar ook op dat van instanties en nationale staten. Welke oorzaken en oplossingen van de schuldenproblematiek zien we als we breder kijken? Wat kunnen we daarbij leren van hoe er in niet-financiële domeinen wordt omgegaan met schuld? Als vergeven in religieus opzicht waardevol is, werkt kwijtschelding van financiële schulden dan ook? Hoe zit het met schuldgevoelens en openstaande rekeningen in mantelzorg- of bijvoorbeeld dader-slachtofferrelaties? Kan het in het krijt staan bij elkaar ook een *incentive* zijn om vooruit te komen?

We beginnen dit boek met vier hoofdstukken op het niveau van *instanties, nationale staten* en *cultuur*.

In hoofdstuk 1 beschrijft antropoloog Erik Bähre hoe inzicht in sociale en culturele verschillen nodig is om te kunnen begrijpen waarom schulden op bepaalde plekken wel en op andere niet zijn toegenomen. Dit hoofdstuk gaat over de relatie tussen schuld en wederkerigheid (schuld als bindmiddel tussen mensen), schuld en status (schuld als middel om aanzien te verwerven) en schuld en macht (schuld als middel om als financiële instelling/schuldeiser sterker te worden).

In hoofdstuk 2 gaan Marcel Canoy en Robin Fransman door op het uitgangspunt dat schulden deel uitmaken van machtsverhoudingen en wederkerigheidsrelaties, zowel tussen als binnen landen. De auteurs presenteren een politiek-filosofisch afwegingskader om zowel economisch slimmer als sociaal rechtvaardiger met doorgeschoten schulden om te gaan.

In hoofdstuk 3 stelt financieel geograaf Rodrigo Fernandez dat het voor landen vanaf de jaren zeventig veel gemakkelijker werd schulden aan te gaan. Overheden die daar heel ver in gingen, komen er niet echt meer uit. Griekenland zal nog decennialang moeten zuchten onder aflossingsverplichtingen. Kwijt-

schelding van de schulden kan een uitweg zijn, maar bestaat daarvoor voldoende
politieke steun? En wat moet er voor kwijtschelding gebeuren?

voor het schuldenvraagstuk bij de schuldenaar zelf te houden.

De volgende drie hoofdstukken gaan over schulden op het niveau van *individuen*
en *huishoudens*.

In hoofdstuk 5 belichten Nadja Jungmann en Marc Anderson de groep
mensen met problematische schulden. Lange tijd moest de schuldhulpverlening
hen op dezelfde manier begeleiden als minder zware gevallen. Het belangrijkste
instrument was de schuldregeling: een financieel-technische oplossing, die in
principe voor iedereen eindigt met een schone lei. Maar is een schuldenvrije toekomst wel voor alle schuldenaren weggelegd? Is voor veel mensen het realiseren van
financiële *stabiliteit* niet het hoogst haalbare? Wat betekent dit voor de werkwijze
van schuldhulpverleners en de standaardprotocollen waar zij nu mee werken?

In hoofdstuk 6 gaan Nadja Jungmann en Roeland van Geuns door op deze
vraag, maar nu gericht op een bredere groep schuldenaren. Hoe gaan verschillende groepen om met schuld? Wie kunnen hun schulden niet aflossen, zelfs niet
met de beste wil van de wereld? En wie willen het niet, terwijl ze daar wel toe in
staat zijn? In dit hoofdstuk komen verschillende karakteristieken van mensen
met schulden in beeld, mede aan de hand van een nieuw, grootschalig ingezet
screeningsinstrument. Dit hoofdstuk laat scherp zien dat schulden niet alleen
een financieel-technische kwestie, maar vooral een gedragsvraagstuk zijn.

In hoofdstuk 7 richten Tamara Madern en Anna van der Schors zich op
een nog ruimere groep: mensen zonder schulden, in het bijzonder jongeren. Zij
huldigen vaak het credo 'rood staan is geen schuld' en hebben ook nog steeds
een onveranderde hedonistische consumentistische levensstijl ('die sneakers wil
ik hebben'). Hoe kun je voorkomen dat jongeren schulden maken? Of moet

je dat helemaal niet willen voorkomen, omdat schulden in onze samenleving vanzelfsprekend zijn? Ook in dit hoofdstuk worden schulden als een sociaal en gedragsvraagstuk benaderd, in het bijzonder vanuit een pedagogische invalshoek.

De laatste drie hoofdstukken gooien het over een heel andere boeg, en gaan in op *schuldgevoelens* en *sociale schulden.*

Wat kunnen we daarvan opsteken als het gaat om financiële schulden? In hoofdstuk 8 wijzen Femmianne Bredewold en Lilian Linders erop dat de bezuinigingen in de verzorgingsstaat ertoe leiden dat mensen voor hun gevoel schuldenaren bij elkaar worden. Cliënten vinden dat familieleden niet verantwoordelijk zijn voor het vervangen van formele zorg, omdat dit hun gevoel van autonomie aantast. Professionals worden daarentegen betaald voor de gegeven hulp en zorg, waardoor mensen minder het gevoel hebben dat ze de ontvangen hulp moeten compenseren. De opgebouwde schuld is immers reeds via betaling ingelost. Is de verwachting dat mensen meer voor elkaar gaan doen reëel, en wat is daarvoor nodig? Bij wie ligt de rekening in de (door de overheid) gewenste participatiesamenleving? Welke positieve én negatieve gevolgen heeft die samenleving voor onderlinge relaties, juist ook in deze tijden van financiële schulden en bezuinigingen?

In hoofdstuk 9 gaat Jelle van der Meer op zoek naar barmhartigheid als alternatief voor de juridische mallemolen waarin schuldenaren terechtkomen. Tijdens zijn zoektocht ontmoet hij dominees en deurwaarders met wie hij onder andere spreekt over vergeving en rechtvaardigheid: Is het kwijtschelden van schulden een optie? Is het tonen van berouw hiervoor voldoende? Dit hoofdstuk laat zien dat men veelal probeert met juridische middelen sociale problemen op te lossen. Van der Meer zoekt naar een verbinding tussen die denkwerelden.

In hoofdstuk 10 gaan Anneke Menger en Jaap van Vliet in op de vraag hoe schuldgevoelens en vergelding onder invloed van het herstelrecht veranderen. Wat betekent het wanneer in het recht de nadruk meer komt te liggen op herstel in plaats van op vergelding? Levert dader-slachtofferbemiddeling meer op dan uitsluitend straffen? Als dat het geval is, wat betekent dat dan voor de manier waarop we met financiële schulden zouden moeten omgaan?

Tot slot presenteren we de conclusie en constateren we dat we aan de vooravond staan van een nieuwe manier van kijken naar schulden.

I

Onderzoek van het Nederlands Instituut voor Budgetvoorlichting (Nibud) laat zien dat Nederlanders steeds meer lenen en zij er steeds meer moeite mee hebben die leningen af te lossen. In een in 2012 verschenen rapport spreekt het Nibud zelfs van een 'doorgeslagen leencultuur', een uitspraak die veel aandacht in de media kreeg en leidde tot Kamervragen aan de minister van Sociale Zaken en Werkgelegenheid.[1] In 1950 werd er in Nederland 26 miljoen euro aan consumptief krediet verleend. In 2008, het jaar waarin de financiële crisis uitbrak, was dit toegenomen tot 10,9 miljard euro (CBS 2010b, p. 176). Uitgaande van een gemiddelde jaarlijkse inflatie van 3,2 procent betekent dit dat er ruim 65 keer zo veel werd geleend.[2] Zelfs rekening houdend met het feit dat de Nederlandse bevolking in de periode van 1950 tot 2008 met iets meer dan de helft is toegenomen, is dit een dramatische ontwikkeling.

Waarom lenen Nederlanders zo veel en wat zijn de oorzaken van deze 'doorgeslagen leencultuur'? In het publieke debat zijn steeds variaties te horen op twee soorten verklaringen voor het problematische leengedrag. Het wordt gezien als een probleem als gevolg van beperkte rationaliteit of als een kwestie veroorzaakt door emoties. De inzet op voorlichting en kennisverspreiding gaat uit van de rationaliteitsverklaring – de verwachting is dat mensen die beter geïnformeerd zijn verstandigere keuzes maken. Door mensen voor te lichten over de gevolgen van schulden of door te benadrukken dat het najagen van kortetermijnbelangen ten koste kan gaan van die op de lange termijn, passen mensen hun gedrag hopelijk aan. Een duidelijk voorbeeld van deze 'meer kennis zorgt voor een betere keuze'-benadering is de waarschuwing 'Let op! Geld lenen kost geld'. Deze uitspraak gaat vaak vergezeld van een tekening van een poppetje met aan zijn been een ketting met het euroteken. Niemand wil toch geketend worden door schuld? Kredietverstrekkers zijn sinds 2009 wettelijk verplicht deze waarschuwing te geven. Naar verwachting zet dit soort informatie consumenten aan tot betere – lees: rationelere – keuzes.[3]

Maar is dat ook zo? Zorgt betere informatie ervoor dat mensen 'betere' keuzes maken? Uit uitgebreid sociologisch en antropologisch onderzoek blijkt dat mensen weliswaar rationeel zijn, maar dat dit slechts een zeer beperkte verklaring biedt voor het menselijk handelen. In 'Rationele en andere keuzes' zet Goudsblom helder uiteen dat er andere handelingsmotieven zijn, en – in navolging van Weber – maakt hij een onderscheid tussen vier soorten motivaties. Bij affectieve motivaties handelen mensen vanwege affectieve banden; in geval van waarde-rationele motivaties komt het handelen voort uit bepaalde waarden; bij doel-rationele motivaties handelen mensen om een bepaald doel te bereiken – dit komt het sterkst overeen met de rationelekeuzetheorie – en ten slotte kan het handelen gemotiveerd zijn door tradities en gewoontes (Goudsblom 1996, zie ook De Swaan 1996).

De toename van schulden laat zich onvoldoende begrijpen vanuit het rationaliteitsperspectief. Als de 'rationelen' gelijk hebben, impliceert dit dat consumenten de afgelopen tien tot twintig jaar dommer zijn geworden of dat ze in ieder geval veel minder kennis hebben over schulden, dat ze aanzienlijk minder geïnformeerd zijn over de risico's die ze lopen bij het lenen van geld. Gezien de inspanningen van het Nibud en de toename van wettelijke regels ter bescherming van consumenten lijkt echter eerder het tegendeel het geval. Het is waarschijnlijker dat consumenten nu beter – en zeker niet minder – geïnformeerd worden dan twintig jaar geleden. Aangezien ze desondanks meer schulden maken dan ooit tevoren, vind ik dit geen overtuigende verklaring voor de toenemende schuldenlast.

De tweede verklaring voor de toename van schulden is dat mensen zich laten leiden door emoties; dat ze juist niet rationeel zijn. Allerlei impulsen, zoals verlangens, begeerte of jaloezie, geven richting aan de keuzes van consumenten. Onderzoek door economen als Henriëtte Prast (2005) en Esther-Mirjam Sent (2009) laat zien hoe belangrijk emoties kunnen zijn om gedrag te begrijpen, waarmee er een verbreding plaatsvindt van de economische discipline. Het is goed voor te stellen dat emoties ook een rol spelen bij het aangaan van schulden. Door geld te lenen, is het immers makkelijker om toe te geven aan allerlei impulsen en vervalt de noodzaak om behoeften, zoals de aankoop van een nieuw mobieltje, een auto of kleren. uit te stellen: een consument

de opkomst van de emotie-economie. Ik vraag mij echter af of mensen nu zo veel emotioneler zijn dan twintig jaar geleden – en als dat zo is, blijft de vraag wat hieraan ten grondslag ligt. De 'emotie-verklaring' heeft daarnaast een tekortkoming die de 'rationele verklaring' ook kent. Beide gaan sterk uit van het individu: om beslissingen te begrijpen, worden het individuele handelen en individuele cognitieve en emotionele processen centraal gesteld. De ontwikkeling in leengedrag heeft een oorsprong in maatschappelijke veranderingen. Hoewel rationaliteit en emoties zeker een rol spelen, houden hierop gebaseerde verklaringen te weinig rekening met sociale en culturele verschillen om een maatschappelijk probleem als schulden te kunnen begrijpen. Om zicht te krijgen op waarom Nederlanders steeds vaker en meer in problematische schulden geraken, om inzichtelijk te maken hoe ze worden gegijzeld door schuld, is een zorgvuldige analyse van institutionele en maatschappelijke verhoudingen essentieel.

Schulden bij de indianen

In 1924 publiceerde Marcel Mauss zijn 'Essai sur le don'. De Eerste Wereldoorlog en vooral de Russische revolutie waren voor Mauss aanleiding op zoek te gaan naar alternatieve manieren om de economie te organiseren. In 'Essai sur le don' onderzoekt Mauss of een economie gebaseerd op solidariteit en gemeenschap mogelijk is. Hierbij ging hij er – achteraf gezien onterecht – van uit dat je daarvoor het beste kon kijken naar economieën zonder geld. Als er geen geld is, zo stelt Mauss, is een economie georganiseerd door het principe van het geschenk. Waardoor, zo vroeg hij zich af, geven mensen iets aan anderen en welk aspect van het geschenk maakt dat mensen zich verplicht voelen op een later tijdstip iets terug te geven? Dit principe van gift en wederkerigheid zou volgens Mauss essentieel zijn voor het ontwikkelen van een andere, meer rechtvaardige economie.

De bekendste casus die Mauss analyseert, gaat over de ceremoniële uitwisseling van geschenken bij de negentiende-eeuwse Kwakiutl-indianen aan de westkust van Canada en de Verenigde Staten. Mauss, en na hem vele anderen, bestudeerde de *potlatch*-uitwisselingsceremonie. Deze kon alleen worden georganiseerd door de lokale Kwakiutl-aristocratie. Tijdens deze ceremonie gingen *chiefs* onderling een competitie aan door elkaar geschenken te geven. De giften waren zeer kostbaar, zoals koperen staven, exclusieve 'Hudson Bay'-dekens, huiden van pelsdieren, kano's, en begin negentiende eeuw ook slaven.

Door het aanbieden van geschenken kwamen sociale relaties tot stand, werd de kosmologische orde onderhouden én werd uiting gegeven aan rivaliteit en hiërarchie. Als de ene *chief* een andere grote geschenken aanbood, creëerde hij daarmee een schuld bij de ander en domineerde hij de andere *chief*. Dit had gevolgen voor de toegang tot visgronden, jachtgebieden en land. De status die *chiefs* bij de *potlatch* opbouwden, had tevens invloed op de zeggenschap die ze hadden over het afsluiten van huwelijken en beïnvloedde hun toegang tot de kosmologische wereld.

In de beschrijving van Mauss lijkt de *potlatch* een stabiele ceremonie die conflicten en rivaliteit reflecteert en tegelijk zorgt voor een stabiele economie en een evenwichtige sociale orde. Uit latere studies blijkt echter dat de *potlatch* helemaal niet zo stabiel was en in de negentiende eeuw ineenstortte. Wolf geeft hiervan in *Envisioning power* (1999) een prachtige analyse die mogelijk helpt om het huidige schuldenvraagstuk in Nederland te begrijpen. Tegen het eind van de negentiende eeuw liepen de *potlatch*-ceremonies volledig uit de hand. De bijeenkomsten werden steeds groter, waarbij de *chiefs* elkaar exorbitante geschenken probeerden te geven. Er werden grote hoeveelheden koperen staven in zee geworpen en stapels kostbare dekens in de brand gestoken. De donaties waren binnen een halve eeuw verveelvoudigd. De grootste *potlatch* die voor 1849 was gehouden, telde 320 dekens. In 1896 vond er een ceremonie plaats met 9000 dekens, en in 1921 een met meer dan 30.000. Ook nam het gebruik van koper, dat vele duizenden dekens waard was, in die periode toe (Wolf 1999, p. 114).

Hoe was deze inflatie mogelijk en waardoor kon de *potlatch* zo uit de hand lopen? Waren de Kwakiutl 'opeens' minder rationeel geworden of lieten ze zich in hun dagelijks leven 'opeens' meer leiden door emotie?

...genomen door de Kwakiutl-aristocratie, die in de loop van de negentiende eeuw onder invloed van het kolonialisme echter steeds meer verzwakte. Het kolonialisme bracht nieuwe ziekten met zich mee en vooral door tuberculose en de pokken overleden veel Kwakiutl, waaronder aan de *potlatch* deelnemende aristocraten. De verspreiding van alcohol en het daaruit voortvloeiende alcoholisme verergerde de gezondheidsproblemen nog. Als gevolg van ziekten en alcoholisme ontstonden er in de *potlatch* lege plekken, die vaak niet meer vanzelfsprekend konden worden ingenomen door vertegenwoordigers van de aristocratie. De *chiefs* golden als autoriteiten binnen de kosmologische wereld en de *potlatch* speelde een belangrijke rol in de communicatie met de bovenwereld. Door het christendom verzwakte de religieuze autoriteit van de *chiefs* en door de toenemende macht van de christelijke kerk hadden zij minder zeggenschap over het afsluiten van huwelijken.

Terwijl de Kwakiutl-aristocratie verzwakte, bood het kolonialisme tegelijkertijd mogelijkheden aan andere groepen. Wolf laat zien hoe er in de loop van de negentiende eeuw een nieuwe economische klasse opkomt die we nu de *nouveau riche* zouden noemen. Aan de Noordwestkust ontstonden nieuwe industrieën rond de visserij, zoals fabrieken waar vis werd verwerkt, ingeblikt en gereedgemaakt voor export. Hier werkten relatief marginale jongeren die opeens heel veel geld verdienden. Deze jonge, niet-aristocratische generatie werd daardoor minder afhankelijk van de oudere aristocratie en met hun nieuw verworven rijkdom eisten zij hun plaats op binnen het belangrijkste instituut van de Kwakiutl. Ze gebruikten niet alleen het door hen verdiende geld voor kostbare *potlatch*-giften; ze konden ook geld lenen bij aan de kolonie verbonden financiële instellingen. Met dit geleende geld konden deze ambitieuze, niet-aristocratische jongeren nog grotere *potlatch*-geschenken geven, zoals Hudson Bay-dekens.

De inflatie van de *potlatch* laat zien hoe de *nouveau riche* een ritueel overnam dat al aan het bezwijken was. De *chiefs* die de gevestigde aristocratie vertegenwoordigden, waren door het kolonialisme ernstig verzwakt, qua gezondheid én wat betreft hun economische, politieke en religieuze autoriteit. Deze *nouveau riche* beschikte over ongelooflijk veel geld – verkregen door te werken in de nieuw ontstane visindustrie – dat voor het eerst in de geschiedenis van de Kwakiutl van koloniale banken geleend kon worden.

Nederland in het begin van de eenentwintigste eeuw is in veel opzichten onvergelijkbaar met de Kwakiutl-samenleving van de negentiende en begin twintigste eeuw. Dit neemt niet weg dat Wolfs studie van maatschappelijke veranderingen en zijn analyse van de relaties tussen veranderende ideologieën, economieën en hiërarchieën licht werpt op waarom mensen nu zo veel meer en zo veel makkelijker schulden hebben.

Competitie door consumptie: van elite naar burgers

De socioloog Veblen vroeg zich in *The theory of the leisure class* (1899) af waarom de negentiende-eeuwse elite zo overmatig consumeerde en zo opzichtig verspilde. Volgens Veblen was dat vooral om status te verkrijgen. Terwijl het volk fysiek zware arbeid moest verrichten, kon de elite het zich veroorloven niets te doen, heel veel te consumeren en zelfs waardevol eten weg te gooien. Het verspillen van tijd, energie, geld en voedsel achtte Veblen zeer verwerpelijk en diende volgens hem alleen om de verspiller status te verlenen. Tafelzilver, overmatige hoeveelheden voedsel, maar ook activiteiten als de bestudering van kunst en filosofie gaven juist status *omdat* ze onproductief waren.

In de tijd van Veblens studie was opzichtige consumptie voorbehouden aan een zeer kleine elite; het overgrote deel van de bevolking kon hier niet of nauwelijks aan meedoen. Die verhoudingen hebben de afgelopen honderd jaar een verandering ondergaan en daarmee is ook de positie die consumptie in de samenleving inneemt, veranderd.

Toegenomen welvaart en democratisering van status

het bruto binnenlands product (bbp) per inwoner (CBS 2010a, p. 22).

Door de economische groei nam in die periode de consumptie toe. Vanaf de jaren vijftig kwamen er steeds meer betaalbare consumptieartikelen beschikbaar, zoals auto's en televisies. Het valt mij op hoe mensen die in de jaren vijftig opgroeiden, wijzen op deze veranderende consumptiepatronen. Mensen vertellen elkaar nog steeds hoe de hele straat op bezoek ging bij die ene familie om daar voor het eerst televisie te kijken. Mensen herinneren zich nog goed hoe indrukwekkend het was dat iemand als eerste in de straat een auto had. Consumptie kon zelfs aan de basis staan van nieuwe identiteiten, bijvoorbeeld die van de nozems. Jongeren die tot de arbeidersklasse behoorden, beschikten voor het eerst over geld en kochten een brommer en een leren jack, presenteerden zich met een vetkuif en vormden zo een rock-'n-roll-subcultuur (Buikhuizen 1965). Deze nieuwe vormen van consumptie maakten zo'n indruk dat ze tot het standaardrepertoire van het jeugdsentiment uit de jaren vijftig zijn gaan behoren.

Consumptie functioneert goed als statusmiddel omdat het zo zichtbaar is. Status verkregen via consumptie is commensurabel.[5] Dat wil zeggen dat consumptieartikelen vrij eenvoudig op waarde te schatten zijn en daarmee is het betrekkelijk eenvoudig mensen op een ranglijst te plaatsen. Andere vormen van status, bijvoorbeeld verkregen door deelname aan een vrijwilligersorganisatie of gekoppeld aan een beroep, zoals leraar, huisarts of dominee, of iemands kwaliteiten als muzikant, laten zich ook wel rangschikken, maar dat vergt meer inzicht en kennis van specifieke beroepenwerelden of vaardigheden. Aangezien het weinig kennis van de ander en zijn of haar leefwereld vraagt om iemands status in te schatten aan de hand van consumptiepatronen, werkt consumptie in een geïndividualiseerde samenleving zo goed als markeerder van status.

Doordat consumptiegoederen makkelijker beschikbaar werden, diende zich een eenvoudige – makkelijk te zien en te vergelijken – en nieuwe manier aan om status te krijgen en te meten. Vanaf de tweede helft van de twintigste eeuw was het status verkrijgen door geld en tijd te verspillen dus niet meer voorbehouden aan een kleine elite. Vanaf de jaren vijftig konden steeds meer mensen proberen een plek te veroveren op het platform van de zogenoemde consumptiestatus, de status verkregen door consumptie.

Vermindering van alternatieve statusvormen

Terwijl midden twintigste eeuw consumptie steeds belangrijker werd voor de vorming van identiteit in een individualiserende samenleving, namen andere statusvormen juist af. Het wordt drukker op het podium van de 'status door consumptie', terwijl andere sinds de jaren tachtig verdwijnen. Vooral de podia van het cultureel en het sociaal kapitaal werken sinds een jaar of dertig minder goed.

Bourdieu (1984) definieert cultureel kapitaal als vormen van macht die iemand heeft op basis van verworven kennis en vaardigheden. Cultureel kapitaal behelst zowel iemands formele opleiding als de inzichten en vaardigheden die onderdeel zijn van socialisatie en informele opleidingen. Het lijkt erop dat dergelijke aspecten minder belangrijk zijn geworden bij het bepalen van iemands status. Nog niet zo heel lang geleden genoot iemand van hoge leeftijd een zeker aanzien. Dit stond garant voor veel levenswijsheid en ouderen moesten alleen al om die reden gerespecteerd worden. Ouderdom is, evenals het huwelijk of het ouderschap, in steeds mindere mate status bepalend. In veel opzichten en voor veel mensen die andere levensstijlen belangrijk vinden, mag dit bevrijdend zijn; tegelijk draagt het er onbedoeld aan bij dat consumptie belangrijker wordt in het verkrijgen van aanzien.

Ook andere elementen van cultureel kapitaal zijn minder belangrijk geworden voor het verwerven van status. Het is nog maar zeer zelden het geval dat een arts, priester, docent, muzikant of hoogleraar vanzelfsprekend als autoriteit wordt aanvaard. Zelfs in kleine dorpen behoren de huisarts en de leraar niet meer als vanzelf tot de notabelen. Investering in onderwijs kan nog steeds een bijdrage leveren aan sociaal-economische mobiliteit, alhoewel dat met het toenemende opleidingsniveau minder is geworden. In de periode 1945-2009 is het aantal academische studenten bijna vernegenvoudigd (CBS 2010a, p. 38-39). Bovendien hebben opleidende en daarmee geassocieerde instituties ~~~~~~

~~~~ ..j。。。。。。。。dsuitgaven evenwel tot maar liefst 5,4 procent van het bnp in 2008. Het onderwijs levert volgens de socioloog Dronkers (2007) in de eenentwintigste eeuw geen bijdrage meer aan sociaal-economische mobiliteit; hij noemt het zelfs de 'ruggengraat van ongelijkheid'.

Naast cultureel kapitaal identificeert Bourdieu (1984) sociaal kapitaal, als zijnde de mogelijkheid die iemand heeft om iets gedaan te krijgen via sociale netwerken. Sociaal kapitaal impliceert dat iemand via sociale netwerken een baan kan krijgen. Tot de jaren vijftig werden met name familienetwerken gemobiliseerd, waardoor de industrie toegang kon hebben tot goedkope arbeid (Kalb 1997). Onlangs vertelde iemand mij hoe hij vanwege sociaal kapitaal was uitgesloten voor een baan toen hij in de jaren vijftig solliciteerde op een bureaufunctie die een flinke promotie zou betekenen. Na het succesvol doorlopen van de sollicitatieprocedure werd hij uiteindelijk afgewezen nadat de werkgever had gesproken met de pastoor van de parochie in zijn wijk en hem was verteld dat de betreffende man niet erg geregeld de kerk bezocht en ook anderszins niet actief was binnen dit religieuze instituut. Ook gaan er verhalen over mensen die in die tijd werden ontslagen omdat ze niet vaak genoeg naar de kerk gingen.

Sociale netwerken zijn van alle tijden, maar anno nu is het minder vanzelfsprekend via dergelijke verbanden iets gedaan te krijgen. Dat autoriteit niet meer vanzelfsprekend is, blijkt misschien nog wel het duidelijkst uit de opkomst van wat De Swaan (1982) het onderhandelingshuishouden noemt. Volgens de socioloog kenmerkt de moderne samenleving zich door een onderhandelingsstructuur waarbij over tegengestelde belangen wordt onderhandeld. Dit komt in plaats van een bevelsstructuur, waarbij iemand zijn – of soms ook haar – belangen kan opleggen aan anderen. Volgens De Swaan heerst de onderhandelingsstructuur in

het huishouden, waar ouders met kinderen in gesprek gaan over verantwoordelijkheden en verplichtingen, maar ook op het werk en in andere sociale werelden.
Alleen het leger kent in oorlogstijd nog een bevelsstructuur. De opkomst van het
onderhandelingshuishouden laat zien dat de mogelijkheid om anderen verplichtingen op te leggen minder sterk is geworden. Sociaal kapitaal is weliswaar nog
steeds belangrijk, maar het dwingt minder autoriteit af dan voorheen.

Om aanzien of status te verkrijgen via sociaal kapitaal is het hebben van
een persoonlijke relatie bevorderlijk. Bij het ontbreken van een dergelijke relatie,
zoals in een geïndividualiseerde samenleving vaker het geval is, is iemands sociaal
kapitaal immers lastiger in te schatten. Als men actief is binnen dezelfde gemeenschap of deel uitmaakt van dezelfde netwerken, is het mogelijk zichtbaarder of
iemand iets wel of niet gedaan kan krijgen via zijn of haar netwerk.[6]

In de loop van de tijd zijn er nieuwe sociale netwerken ontstaan, waarvan de
sociale media – Facebook, Twitter, LinkedIn – wellicht het meest tot de verbeel-
ding spreken (Bähre & Van den Broek 2013). Deze netwerken zijn zichtbaarder
en flexibeler dan de klassieke netwerken en kunnen dus tot op zekere hoogte een
alternatieve bron bieden van aanzien en status. Maar zelfs dan blijft consumptie
belangrijk – een belangrijk deel van de Facebook-*posts* is consumptie gerelateerd,
met foto's van feesten, borden vol eten, en *selfies* op vakantie in de juiste kleding.

Cultureel kapitaal en sociaal kapitaal zijn in de huidige tijd nog steeds van
belang en mensen kunnen nog steeds gerespecteerd worden vanwege hun onder-
wijsniveau, de status van hun beroep of de netwerken waarvan ze deel uitmaken.
Tegelijk lijkt het erop dat deze aspecten niet meer vanzelfsprekend aanzien geven,
en als dat wel het geval is dan is dat vooral via consumptie.

Veranderend financieel landschap

De oorzaak van het lenen voor consumptie is zeer waarschijnlijk ook een gevolg
van de veranderende rol van banken. In een tijdsbestek van dertig jaar is de manier waarop financiële transacties plaatsvinden drastisch veranderd. De relatie is
anoniemer en bureaucratischer geworden en de leningen verstrekkende banken
zijn onzichtbaar geworden (Bähre e.a. 2012). Schuld is anoniem geworden. Ruim
de helft van het krediet is afgesloten bij banken en creditcardmaatschappijen (53
procent), terwijl de financieringsmaatschappijen iets minder dan de helft (43

procent) van het krediet hebben verstrekt (AFM 2007, p. 3). Consumenten kunnen nu een balansrekening openen bij de Wehkamp en op die manier ~~~~~~~~~~~

~~ van de Rabobank. Leningen zijn ook onderdeel van de telefoonabonnementen waarbij een 'gratis' mobiele telefoon wordt aangeboden of bij de aankoop van auto's die pas later betaald hoeven te worden.

Het belang van de geschetste verandering laat zich illustreren aan de hand van een gesprek met een vrouw van 66 jaar, begin jaren zeventig woonachtig in een buitenwijk van een middelgrote stad waar de medewerker van de lokale bank zijn klanten persoonlijk kende en zelfs hun rekeningnummer uit het hoofd wist. De financiële transacties waren dus nooit helemaal anoniem en geld lenen impliceerde altijd persoonlijk contact met iemand die niet alleen je rekeningnummer kende, maar ook wist met wie je getrouwd was en of je wel of geen kinderen had. Over een periode van nog geen veertig jaar is de druk om te lenen toegenomen, terwijl de schaamte om te lenen is afgenomen. Dit maakt het een stuk makkelijker en aantrekkelijker om met geleend geld consumptiegoederen te kopen om het mogelijk te maken te blijven meedoen aan de competitie om aanzien en status – ook als iemand dat eigenlijk niet kan verantwoorden.

Een daarmee samenhangende verandering lijkt de liberalisering die zo kenmerkend is voor de financiële markten vanaf de jaren tachtig. Zeker nadat het socialisme na het einde van de Koude Oorlog in 1989 legitimiteit ontbeerde, kwam er steeds meer steun voor een grenzeloos kapitalisme dat gedomineerd werd door de ideologie van de vrije markt. De politieke controle die staten over de economie hadden gekregen na de Tweede Wereldoorlog, met als doel een nieuwe oorlog te voorkomen, nam vanaf de jaren tachtig steeds verder af. Als gevolg hiervan kwam het marktfundamentalisme op (Stiglitz 2002, zie ook Hart & Hann 2009). Zeker sinds de financiële crisis is duidelijk geworden dat banken veel vrijheden hadden en eigenbelang lieten prevaleren boven maatschappelijke belangen en er zelfs toe bereid waren illegale activiteiten te ontwikkelen. In 2012 bleek dat de Rabobank op grote schaal illegaal de Libor-rente manipuleerde.[7] ABN AMRO was jarenlang betrokken bij het witwassen van drugsgelden[8] en in 2013 is dezelfde bank door de *Autoriteit Financiële markten* (AFM) beboet voor het overtreden van de antiwitwasregels bij woningbouwcoöperatie Vestia[9]. De kredietcrisis liet bovendien zien dat de verhandelde financiële producten veel minder waard werden dan men deed voorkomen en dat deze crisis onder andere het gevolg was van het makkelijk verlenen en agressief verkopen van krediet. Het is onduidelijk wat de gevolgen van de liberalisering zijn geweest voor consumptief krediet in Nederland, maar het lijkt erop dat het vanaf de jaren tachtig voor consumenten lastiger is geworden om weerstand te bieden tegen de druk en verleiding om geld te lenen. Deze twee veranderingen – het onzichtbaar lenen en de toegenomen macht van banken – hebben eraan bijgedragen dat in 2013 ruim één op de zes Nederlanders een problematische schuld had (Kerckhaert & De Ruig 2013).[10]

Resumé

Mensen zijn niet altijd rationeel en laten zich leiden door emoties, ook bij het maken van keuzes over aankopen, al dan niet mogelijk gemaakt door een lening. In het kader van informatievoorziening over financiële producten en diensten waarvan mensen gebruikmaken en meer inzicht in de gevolgen van keuzes, hebben organisaties zoals het Nibud, maar ook het onlangs gesloten Geldmuseum in Utrecht, een belangrijke maatschappelijke taak.

De dramatische toename van consumptief krediet is echter onvoldoende te verklaren vanuit het perspectief van rationaliteit en emotie. Hiermee wordt onvoldoende rekening gehouden met de mens als sociaal wezen, altijd deel uitmakend van een samenleving of een cultuur, en wordt onvoldoende ruimte geboden aan het belang van historische ontwikkelingen. Om de toenemende schuldenlast te begrijpen, is inzicht in maatschappelijke verhoudingen essentieel. Het is van belang om te begrijpen hoe mensen zich verhouden tot elkaar en tot (commerciële) instituties, welke mogelijkheden zij zien om hun leven te verbeteren en hoe ze omgaan met veranderende ongelijkheden.

Wolf (1999) maakt met zijn analyse van de *potlatch* bij de Kwakiutl duidelijk

waarom mensen dingen doen die in eerste instantie onbegrijpelijk zijn. Het lijkt
onlogisch dat de Kwakiutl-indianen hun rijkdommen moedwillig vern...

de Europese en nationale centrale banken die de kredietcrisis proberen op te lossen door nóg meer krediet te verlenen. In 2012 had alleen al de Europese Centrale
Bank voor meer dan 200 miljard euro aan obligaties gekocht om de schuldenlast
te verminderen.[11] Het risico dat de Nederlandse staat heeft genomen als gevolg
van de kredietcrisis was volgens de Algemene Rekenkamer eind 2012 meer dan
60 miljard euro.[12] Het lijkt er soms op dat er wordt vastgehouden aan een politiek,
economisch en ideologisch ritueel dat in het verleden wellicht werkte maar waarvan het onzeker is of het ook een oplossing biedt voor de huidige financiële crisis.

Ook wat betreft individuele keuzes om geld te lenen, delen we mogelijk meer
met de negentiende-eeuwse Kwakiutl dan in eerste instantie vermoed. In het
voorgaande heb ik drie ontwikkelingen geschetst: groeiende welvaart en democratisering; beperking van de manieren om status te verkrijgen; veranderingen
in de manier waarop financiële instellingen krediet aanbieden.

Als gevolg van democratisering, welvaartsgroei en individualisering was
iemands maatschappelijke positie niet meer vanzelfsprekend. Kort gezegd: iemand die voor een dubbeltje was geboren, kon een kwartje worden. En zelfs
als die belofte niet helemaal werkelijkheid werd, kon men wel als een kwartje
leven door geld te lenen. Het verwerven van status door consumptie was niet
meer voorbehouden aan de elite en werd vanaf de jaren vijftig ook mogelijk voor
de arbeidersklasse, die zich door welvaartsgroei en onderwijs kon emanciperen.
Consumptie kon zo in relatief korte tijd steeds belangrijker worden voor iemands
aanzien en wellicht ook voor zijn of haar gevoelens van eigenwaarde.

Tegen het eind van de twintigste eeuw ontstond er steeds minder variatie in
mogelijkheden om aanzien te verwerven. Mensen konden niet meer op basis van
hun opleiding of sociale rol binnen het huishouden, de kerk of onderwijsinstel-

lingen aanspraak maken op autoriteit. Democratisering betekende immers dat vaders wil niet automatisch wet was, en dat het gezag van cultureel en sociaal kapitaal verminderde. Dat was in veel opzichten en voor veel mensen een bevrijding, maar het zorgde er tegelijk voor dat consumptie belangrijker werd. In een geïndividualiseerde samenleving waren er minder alternatieven voorhanden om aanzien te verwerven. In de tweede helft van de twintigste eeuw streden meer mensen voor een plek op het podium van de 'status door consumptie', terwijl de podia van het cultureel en het sociaal kapitaal langzaam maar zeker werden afgebroken.

Daarnaast veranderde de financiële wereld eind twintigste eeuw. Banken werden minder zichtbaar en verkochten steeds vaker financiële producten via tussenpersonen. De financiële instellingen onttrokken zich steeds meer aan het zicht doordat het nieuwe loket van de bank verhuisde naar de winkel die het krediet aanbood, om aankopen te stimuleren. Met krediet aanbieden via internet was er helemaal geen sprake meer van een persoonlijke relatie, waardoor de schaamte die voorheen verbonden was aan het afsluiten van leningen kon afnemen. Door liberalisering vanaf de jaren tachtig was banken bovendien steeds meer toegestaan en boden ze op een voortvarende, soms zelfs agressieve en illegale wijze hun diensten aan. Ook deze ontwikkelingen maakten het makkelijker om geld te lenen.

Beperking krediet en verruiming status

Deze verhandeling is geen oproep tot nostalgie, en de mogelijkheden van mensen in het verleden waren ook niet per se beter. De geschetste historische ontwikkeling laat echter zien dat de oplossing voor de grote schuldenlast waaronder mensen momenteel gebukt gaan niet alleen moet worden gezocht in betere voorlichting waardoor ze rationelere keuzes kunnen maken – hoe belangrijk die kennis ook is. Erop wijzen dat mensen emotioneel zijn in hun keuzes, helpt ook nauwelijks. De oplossing ligt eerder binnen de maatschappelijke verhoudingen.

Eén kant daarvan is de positie van financiële instellingen die consumentenkrediet verstrekken. Als er winst wordt gemaakt en risico's worden genomen, is de vraag gerechtvaardigd ten koste van wie of wat dat gebeurt. Bij de sinds kort verplichte financiële bijsluiter 'Let op! Geld lenen kost geld' wordt geen reke-

ning gehouden met de omstandigheden waaronder mensen lenen en door deze maatregel worden financiële instellingen niet belemmerd consumptief...
te verkop...

... de zogenoemde Schuldencoöp heeft een kleine groep academici en kunstenaars een aanzet gegeven om met scholieren van gedachten te wisselen over schulden, aanzien en waarden – een herwaardering van bezit en een heroverweging van wat waardevol is ten behoeve van schuldproblematiek (zie Bähre e.a. 2012). Het is een plek, onder meer op Facebook, waar het niet gaat over kennis van financiële producten of hoe je een huishoudboekje moet opstellen. De aanpak is gericht op het ontwikkelen van een taal waarmee mensen uitdrukking kunnen geven aan alternatieve waarden die niet zo sterk verbonden zijn met geld en consumptie. Het gaat om de mogelijkheden zonder excessieve consumptie aanzien te krijgen en gewaardeerd te worden. Dat klinkt mogelijk enigszins vaag, maar dit kan heel concreet worden: door een 'gelukspiramide' te maken (basisbehoeften geluk), naar analogie van de piramide van Maslov (basisbehoeften leven); door te bespreken dat financiële schulden niet hoeven te betekenen dat je schuldig bent in morele zin; dat schulden niet alleen het gevolg zijn van domme keuzes, zoals de 'naïeve rationelen' dat doen voorkomen. Met de Schuldencoöp is verkend of mensen andere soorten sociale netwerken kunnen opbouwen die mogelijkheden bieden, zonder dat ze schulden hebben. Hiernaast was het streven te begrijpen waarom we allemaal willen meedoen aan de moderne *potlatch* ondanks dat we weten hoe destructief dat is. Zo kunnen we eraan bijdragen dat de economie in dienst komt te staan van de mensheid en dat menselijk leed niet meer wordt gelegitimeerd door machtige economische instituten en ideologieën.

2

Schuld is een afspraak tussen twee partijen die elkaar in zekere mate vertrouwen. Schuld maakt de relatie tussen die partijen ongelijkwaardig, maar er is een manier om dit recht te zetten, namelijk door de schuld af te lossen. Zolang dit niet het geval is, geldt de wet van de hiërarchie tussen schuldenaar en schuldeiser. Indien de uitgangssituatie voor het ontstaan van de schuld min of meer gelijkwaardig zou zijn, ontstaat bij in gebreke blijven van terugbetalen in zekere zin ook een morele schuld, met een blijvende asymmetrie en machtsongelijkheid tussen de partijen als gevolg.

David Graeber schreef recent *Schuld. De eerste 5000 jaar* (2012). Dit boek is een langgerekte en goed gedocumenteerde aanklacht tegen het schuldkapitalisme van tegenwoordig en staat vol met historische voorbeelden.

Graeber toont aan dat schuld in de geschiedenis niet altijd een goede reflectie is geweest van eigendomsverhoudingen. Gedurende lange periodes waren de financiële en menselijke aspecten met elkaar in evenwicht. De dominante praktijk in de geschiedenis was niet ruilhandel maar het vrijwillig geven van geschenken, die leidden tot een bindend gevoel van verplichting tussen potentieel vijandige groepen. De gift was geen daad op basis van berekeningen, maar behelsde juist de ontkenning daarvan. In samenlevingen zoals de Maori van Nieuw-Zeeland en de Haida van de Pacific Northwest verwierpen mensen de principes van economisch eigenbelang ten gunste van regelingen waar iedereen voortdurend schatplichtig was aan iemand anders.[2]

Je zou kunnen betogen dat er in de geschiedenis twee breekpunten in dit patroon te onderkennen zijn. Het eerste is afkomstig van Graeber en vindt plaats rond de zeventiende eeuw, wanneer de dominantie van geld als ruilmiddel de menselijke aspecten van schuld begint te onderdrukken. De opkomst van het vroege kapitalisme leidde tot de behoefte om transacties, eigendom en schuld aanzienlijk strikter wettelijk vast te leggen. Het andere breekpunt is te situeren ten tijde van Reagan en Thatcher, toen het maken van schulden bijna tot norm werd verheven. Iedereen kon aandelen kopen. Het niet-betalen van rekeningen totdat je een aanmaning kreeg, werd normaal gedrag. Graeber merkt op dat een tv-dominee als Pat Robertson de aanbodeconomie, waarbij de productie van goederen centraal staat, 'de eerste waarlijk goddelijke theorie over de schepping van geld' noemde. Dus van God mocht het – een niet onbelangrijk detail in het godsvruchtige Amerika. Hypotheken werden niet langer alleen verleend om de schuld van een huis mee af te lossen, maar om de consumptie op te schroeven.

Een economie waarin men gelooft dat de bomen tot in de hemel groeien, is niet duurzaam. De gedachte lijkt: als de bomen even niet groeien, dan wachten we gewoon, we steken ons nog wat meer in de schulden, want morgen groeien ze vast wel weer verder. De huidige crisis is niet veroorzaakt door schulden, maar door het verhandelbaar maken van schulden en het creëren van optische illusies rond schuld. Daardoor was het alsof schulden geen risico's met zich meedragen. Niet voor degene die de schuld aangaat, en niet voor hen die de schulden verstrekken. Door kunstmatig de risico's weg te werken waardoor ook de rentes daalden, stegen de schulden en daarmee ook de risico's razendsnel en haast ongemerkt. Die optische illusies betreffen daarmee ook spaargelden; ons geld wordt immers gedekt door leningen. Juist doordat mensen zich in de schulden steken, hebben anderen extra inkomen en kunnen zij daarmee ook extra vermogen en spaargelden opbouwen. Hierdoor lijkt niemand zich meer te realiseren wat de morele dimensie van schuld is.

Door het huidige schuldkapitalisme dreigt een situatie te ontstaan waarin menselijke verhoudingen in toenemende mate een hiërarchisch karakter krijgen. Hierdoor verzakelijkt de maatschappij en verdwijnt de menselijke maat naar de achtergrond.

Korte geschiedenis van schuld in de eurozone

Wij voegen nog een breekpunt in de geschiedenis toe: de invoering van de euro. Het is – zeker historisch gezien – beter om het als een manifestatie van het tweede breekpunt te presenteren, maar omdat het een eigen logica en dynamiek kent en zeer relevant is voor de discussie over schuld in het Europa van nu, benoemen we het hier expliciet.

Laten we eerst ... h...

... ...ii straat, waar de buren naast elkaar op één continent wonen en waar de onderlinge verhoudingen gedomineerd worden door de onderlinge schuldverhoudingen.

Dat die verhoudingen tot nu toe niet hebben geleid tot onoverkomelijke conflicten, is een teken van kracht en beschaving. In andere tijden vormden schuldposities vaker wel dan niet een *casus belli*. Waar schuldenaar en schuldeiser op gespannen voet met elkaar komen te staan, ontstaat ook altijd de morele vraag: welke vorm van solidariteit is hier op zijn plaats?

Enerzijds verwachten wij van schuldenaren dat zij een uiterste inspanning leveren om aan hun verplichtingen te voldoen. Anderzijds eisen wij van schuldeisers dat zij hun claim opgeven als de schuld niet kan worden voldaan. En als er sprake is van onverantwoordelijke kredietverlening ligt dat punt dichterbij. Is vergiffenis en kwijtschelding de weg voorwaarts, of creëert dat een moreel gevaar?

Deze vragen spelen op eurozone-niveau op heel grote schaal. De basis daarbij is het principe van wederkerige verantwoordelijkheid en afhankelijkheid: eenieder draagt naar vermogen bij tot oplossing van het probleem, het debat kan dan gaan over wat je van alle partijen vraagt. Zo werkt het ook op microniveau: een schuldenaar heeft een stevige inspanningsverplichting om terug te betalen, maar als dat echt op geen enkele manier meer mogelijk is dan moet de schuldeiser kwijtschelden.

Met de invoering van de euro in zicht begonnen de rentes te dalen, hetgeen leidde tot een enorme groei in woningmarkt en bouw en in een dito groei van private schulden, vooral hypotheken. Het geld klotste tegen de plinten, de *boom* in de bouw en de stijging van de woningprijzen leidden tot grote groei in de consumptie en tot lage werkloosheid. De lonen stegen sterk (zie figuur 1 en 2 over Spanje en Portugal).

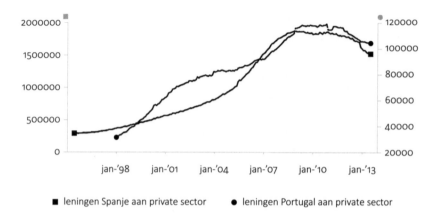

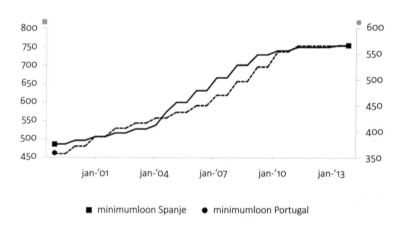

Figuur 1. Leningen Spanje en Portugal aan private sector

Figuur 2. Minimumloon in Spanje en Portugal

(Bron: Tradingeconomics.com)

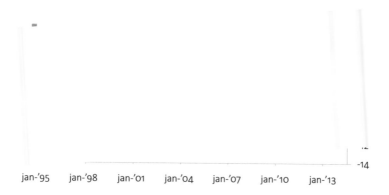

jan-'95   jan-'98   jan-'01   jan-'04   jan-'07   jan-'10   jan-'13

■ Spanje – lopende rekening als percentage van het bbp
● Portugal – lopende rekening als percentage van het bbp

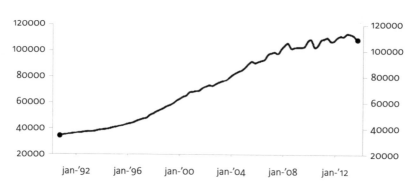

● leningen Nederland aan private sector

Figuur 3. Lopende rekening Spanje en Portugal als percentage van het bbp
Figuur 4. Leningen Nederland aan private sector

(Bron: Tradingeconomics.com)

De economieën groeiden ook heel sterk, gedreven door binnenlandse consumptie gefinancierd met schuld, vooral buitenlandse schuld. Er ontstond een groot
handelstekort en een fors tekort op de betalingsbalans (zie figuur 3). In de andere
twee landen waaraan Europese hulp is verstrekt, deden zich vergelijkbare patro-
nen voor. In Griekenland kwam daar de statistische fraude nog bovenop, en in
Ierland de fraude bij de banken.

Toen de crisis uitbrak, stortte het systeem als een kaartenhuis in elkaar. De
redding van de eigen banken deed de staatsschuld sterk stijgen. Door het wegvallen
van buitenlandse financiering kwamen banken, overheden en bedrijven in acute
liquiditeitsproblemen. De krimp van de economie legde een enorm structureel
begrotingstekort bloot. En de exportsector was door de hoge lonen niet in staat
om de klap op te vangen.

Hierdoor kregen deze landen niet langer krediet. Veel van deze ontwikkelingen hebben we ook in Nederland gezien. Ook hier groeide de private schuld
zeer sterk (zie figuur 4).

En ook in Nederland vielen de banken bijna om en stegen de staatsschuld en
het begrotingstekort snel. Toch kwam Nederland veel minder in de problemen,
aangezien we wel solvabel en concurrerend waren en zijn. De solvabiliteit van
Nederland kwam en komt uiteraard vooral van de pensioenen en het langdurige en grote handelsoverschot. Tegenover onze schulden staan nog veel grotere
vermogens. Dergelijke omstandigheden vind je in het hele noorden van Europa.

De netto-vermogenspositie, het saldo van alle buitenlandse schulden en alle
buitenlandse bezittingen van overheid, burgers en bedrijven, van de noordelijke
landen bereikte recordhoogtes (zie tabel 1). En de netto-schuldpositie van Zuid-
Europa bereikte laagterecords (zie tabel 2).

In de jaren negentig bewogen de netto-vermogensposities zich nog tussen
−25 procent en +25 procent. De twee *drivers* van de geschetste ontwikkelingen
waren de invoering van de euro en de opmars van de globalisering of − beter gezegd − van de vrijhandel. In de jaren negentig kwam Oost-Europa bij de EU en
in 2000 werd China lid van de WTO. Een enorm aanbod aan goedkope arbeid
kwam daarmee op de wereldmarkt en ging de concurrentie aan met de gevestigde
landen. De respons van het Westen was loonmatiging.

land	NVP (netto-vermogenspositie)	NVP in % BBP
		+ 40,5
Luxemburg	+ 33 524 miljard (EUR)	+ 27,5
Denemarken	+ 99 800 miljard (DKK)	+ 27,1
Finland	+ 15 721 miljard (EUR)	+ 11,5
Malta	+ 793 miljard (EUR)	+ 7,5
Oostenrijk	− 1600 miljard (EUR)	− 0,5

land	NVP (netto-vermogenspositie)	NVP in % BBP
Portugal	− 184 017 miljard (EUR)	− 116,5
Griekenland	− 210 262 miljard (EUR)	− 114,1
Ierland	− 157 075 miljard (EUR)	− 95,8
Spanje	− 925 600 miljard (EUR)	− 91,4
Cyprus	− 15 683 miljard (EUR)	− 87,7

Tabel 1. Netto-vermogenspositie per land

Tabel 2. Netto-schuldpositie van Zuid-Europese landen

(Bron: WorldBank, IMF)

De Zuid-Europese landen zagen dit over het hoofd; de politieke cultuur en de arbeidsverhoudingen waren nog altijd gericht op het oude systeem van inflatie en devaluatie van de munt, en daardoor stegen de lonen sneller dan de productiviteit. Juist doordat deze landen op goederensoorten concurreerden met Oost-Europa en China – basismaterialen, kleding, textiel, meubels en speelgoed in de lagere kwaliteitsklasse – prijsde zuidelijk Europa zich uit de markt. Toen de crisis uitbrak, bleken de banken, huishoudens en overheden niet meer solvabel en het bedrijfsleven niet meer concurrerend te zijn.

Als de buren niet meer kunnen terugbetalen

Wat doe je dan – als je partners, je buren, je schuldenaren je niet meer kunnen terugbetalen? Er is van linkerzijde veel kritiek geweest op het harde beleid van de Trojka. Maar zou schuldenkwijtschelding in dit geval geholpen hebben? Het wegvallen van de kredietgroei in de schuldenlanden zou onder alle omstandigheden tot een forse economische krimp hebben geleid met dito verlies aan werkgelegenheid en een bijbehorend overheidstekort. En vervolgens zou het gebrek aan concurrentievermogen nog altijd een probleem zijn.

Aanpassen van de private sector was dan ook onder alle omstandigheden noodzakelijk. Sterker nog: hoe sneller en ingrijpender deze aanpassing, hoe spoediger en beter een land weer uit de misère kan komen. De moeilijkheden in die landen zijn dus niet veroorzaakt door de Trojka of het Stabiliteitspact. Het gebrek aan prudent financieel-economisch beleid van 2000 tot 2008 heeft dat gedaan. Uiteindelijk geldt dat voor de meeste landen in Europa. En het is ook niet zo dat de schuldeisers niet geholpen hebben. Er zijn noodleningen verstrekt tegen zeer lage rentes en met aflossingsverplichtingen op heel lange termijn.

Desondanks is de vraag gerechtvaardigd of de post-2008 wederkerige solidariteit voldoende is geweest. Uiteindelijk is ons handelsoverschot het tekort van een ander. Onze import is hun export. En ons spaarsaldo is hun schuld. Of we het willen of niet, we zijn tot elkaar veroordeeld – hun voorspoed is onze export, en hun armoede is ons verlies.

Als alle landen een eigen munt hebben, zijn tekorten en overschotten nooit een probleem; als ze te hoog oplopen dan zorgt de wisselkoers voor automatische aanpassing. Maar binnen een muntunie moet de nodige aanpassing van de sectoren zelf komen

... opzet. En Nederland, met een overschot van meer dan 10 procent (en stijgend) is niet door de Europese Commissie gedwongen om daar iets aan te doen. De oorzaak van handelstekorten en overschotten zit hem in concurrentiekracht, maar ook in spaar- en investeringspatronen. Nederlanders, Duitsers en Belgen sparen veel, maar investeren weinig in eigen land. Dat sparen lijkt dus deugdzaam, maar dwingt ergens anders iemand in de schulden. Wij laten niet toe dat onze overheid dat doet, ons bedrijfsleven wil het niet, en dus dwingen we het buitenland om zich in de schulden te steken door loonmatiging en gedwongen pensioensparen.

De begrotingsnorm houdt geen rekening met de structuur van de private schulden en hoe deze zich ontwikkelen. Maximaal 60 procent staatsschuld en maximaal 3 procent begrotingstekort, *ongeacht* de omvang van de handelsbalans, het saldo van export en import. Dat leidt ertoe dat noordelijk Europa zich niet of nauwelijks hoeft aan te passen. Alle aanpassing moet uit de zuidelijke landen komen – is dat wel verstandig en rechtvaardig?

De na de crisis genomen maatregelen belonen spaarzin en beboeten schulden. De begrotingsregels en hervormingen zijn erop gericht om als eurozone als geheel een handelsoverschot te kweken, en zo dwingen we de rest van de wereld in de schulden. Door de maatregelen wordt loonmatiging gestimuleerd en loonstijging bestraft. Dat zorgt voor nieuwe onevenwichtigheden. Het is onwaarschijnlijk dat de Verenigde Staten en de niet-euro-lidstaten van de EU dat op langere termijn blijven accepteren.

Gevolgen op micro- of persoonlijk niveau

De enorme groei in private en publieke schulden en de crisis die daaruit ontstond, heeft uiteraard ook effecten gekregen op microniveau, het niveau van de
huishoudens. Enerzijds zijn er de directe economische effecten, zoals de val van
de huizenprijzen. Anderzijds zijn er de gevolgen van overheidsingrijpen. In de
zuidelijke landen zijn de pensioenen en de salarissen van ambtenaren verlaagd.
Om de salarissen in de private sector te drukken, zijn collectieve loononderhan-
delingen voor een belangrijk deel onmogelijk gemaakt. Een belangrijk deel van de
salarisverlagingen vindt ook plaats via substitutie. Bedrijven met dure medewerkers
gaan failliet, bedrijven met goedkopere medewerkers overleven. Dure, oudere
medewerkers worden ontslagen of gaan met pensioen, en worden (deels) vervangen
door jongeren. Huishoudens worden niet alleen aan de inkomstenkant geraakt.
Allerhande soorten belastingen − btw, inkomstenbelasting, accijns, onroerend-
goedbelasting − zijn omhooggegaan om de overheidstekorten te doen afnemen.

Op huishoudensniveau is dat goed te merken. Beschikbare inkomens dalen
en prijzen stijgen, waardoor de koopkracht afneemt en de schulden zwaarder
op de huishoudportemonnee drukken. Er dreigt een neerwaartse spiraal van
almaar dalende uitgaven, inkomens en werkgelegenheid, met afnemende belas-
tingopbrengsten tot gevolg. Dat is ook wat er lange tijd heeft plaatsgevonden.
Toch lijkt het alsof er een eind aan komt. De vicieuze cirkel wordt doorbroken
door effecten van de zwarte economie − volgens de Europese Commissie[3] zo'n
12 procent van de economie in bijvoorbeeld Spanje en Portugal, en een nog hoger
percentage in Griekenland. Maar huishoudens overleven ook door erfenissen en
giften van ouders. Ook de toenemende export draagt inmiddels een steentje bij.
Maar voorbij is het nog niet; de werkloosheid en de schuldenlast zijn nog altijd
hoog, en het terugbetalen van de schulden moet nog beginnen. De komende jaren
zal dan ook in veel gezinnen schraalhans keukenmeester blijven.

Economie en moraliteit

De houding van de meeste mensen als individu en van de samenleving als geheel
ten opzichte van schuld is dubbelzinnig. Enerzijds worden schulden als 'slecht'

gezien. Spaarzin wordt hoger gewaardeerd. Wij vinden staatsschuld en overheids-

..., en zien over het hoofd dat we dat alleen hebben doordat we leningen verstrekken aan de kopers van onze export. De waardering van schuld en de waardering van het eigendom van die financiële claims sluiten niet op elkaar aan.

Er is ook sprake van een andere asymmetrie. Wanneer schuld 'regulier' verloopt en de schuldenaar aan het aflossen is, is schuld vooral een *business as usual* economisch contract. Zodra de schuldenaar in aflossingsproblemen geraakt, gaat moraliteit een belangrijke rol spelen en ontstaan er ingewikkelde dilemma's. Onder welke omstandigheden gaat kwijtschelding een rol spelen in de schuldresolutie? Wat is een gepaste punitieve actie richting schuldenaar? In welke mate gelden algemene regels of speelt de individuele context een rol? Is het relevant in welke mate de schuldenaar verantwoordelijk is voor de ontstane problemen? Hoe waardeer je eigenbelang versus moreel gevaar? Wat als schuldenkwijtschelding bijdraagt aan een sneller economisch herstel? Dergelijke vragen zijn ingewikkeld gezien de meerdere – potentieel strijdige – te onderscheiden doelen. Het gaat niet alleen om de belangen van de schuldeiser en de schuldenaar, maar ook om bredere belangen voor de samenleving en om rechtvaardigheid.

Bij een goed schuldresolutiemechanisme – de systematiek waarbij we van een onhoudbare schuld naar een nieuwe start gaan – wordt rekening gehouden met deze verschillende belangen. Verderop zullen we betogen dat op dit moment de balans tussen schuldenaar en schuldeiser geheel zoek is in Nederland. Ondanks deze constatering zien wij – anders dan Graeber – geen fundamentele spanning tussen het gebruik van geld, de wereldhandel en het opbouwen van schuld enerzijds en het bestaan van een menswaardige samenleving anderzijds. Maar hiervoor moet wel de onbalans, zoals hiervoor beschreven, geadresseerd worden.

De positieve variant van het kapitalisme heeft bewezen dat schuld niet noodzakelijk tot ongewenste uitkomsten leidt: een goede investering kán waarde creëren waar schuldenaar én schuldeiser van profiteren. Denk aan de bakker die geld leent om investeringen te doen zodat hij lekkerder brood bakt. De bakker profiteert, de bank profiteert en de consument uiteindelijk ook. De relatie tussen de bank en de bakker is niet noodzakelijkerwijze doordesemd van macht, zonde en manipulatie, zoals Graeber ons wil doen geloven.

De economische logica van schulden is een variant van comparatieve voordelen en schaalverschillen. Een persoon, instelling of land heeft op een zeker moment een overschot aan liquide middelen, terwijl een ander juist een tekort heeft. Evenals het voordelig kan zijn om te handelen, kan het in die omstandigheden voordelig zijn een schuldrelatie aan te gaan. Bepaalde economische activiteiten worden niet uitgevoerd, zijn te duur of te complex zonder het bestaan van schuld. Schuld kan ook zijn oorsprong vinden in schaalvoordelen. Zo kan door schaal en ervaring een bank risico's vaak beter inschatten en spreiden dan individuele personen of bedrijven. Een bank en een persoon (of bedrijf) kunnen dat voordeel benutten om een schuldrelatie aan te gaan.

Voor alle leningen en schulden waarbij er geen rechtvaardige verdeling van de opbrengsten is tussen schuldenaar en schuldeiser of waarin het kwestieus is of er wel waarde wordt gecreëerd, gelden de bedenkingen van Graeber echter onverkort.

Een goed schuldresolutiemechanisme

Hiervoor betoogden wij dat bij een goed schuldresolutiemechanisme rekening wordt gehouden met de verschillende – vaak strijdige – doelen. Hierbij is ruimte voor verschillende instrumenten die naast elkaar ingezet kunnen worden, al naargelang de omstandigheden. Omdat het hier om concrete maatregelen gaat, is het gemakkelijker en logischer ons te beperken tot Nederland en de hier vigerende specifieke instituties.

Eigendom

De eerste en – indien mogelijk – beste manier om schuldproblemen op te lossen, is mensen de keuze te geven om met hun pensioenpremie of pensioenkapitaal een deel van hun hypotheek af te lossen. Iedereen kan bijvoorbeeld de optie worden

geboden maximaal vijf jaar lang de pensioenpremie aan te wenden ter gedeeltelijke aflossing van de hypotheek. Hoe…

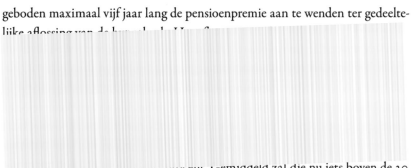

…… procent en 30 procent. Gemiddeld zal die nu iets boven de 20
procent liggen; 20 procent van 50.000 is 10.000 euro per jaar. Dit bedrag wordt
aangewend voor de hypotheekaflossing van het huis, vijf jaar lang. Na vijf jaar is
de hypotheek dus 50.000 euro lager bij een gemiddelde hypotheek van rond de
225.000 euro. Hierdoor dalen de woonlasten met 250 tot 300 euro per maand voor
de rest van het leven. De betrokkenen verliezen natuurlijk ook pensioenrechten.
Het aanvullende pensioen zal zo rond 10 procent lager uitvallen, inclusief AOW
zal het pensioen bijna 5 procent lager uitvallen.

Het geld dat ze nu besparen, kunnen ze gebruiken voor consumptie, voor
de studie van de kinderen, en eventueel deels voor het later weer aanvullen van
het pensioen in de derde pijler, maar nu vanuit het vertrouwen dat de hypotheek
geen probleem meer is.

Deze oplossing heeft ook gevolgen voor de banken. Die zien hun balansen
krimpen, hun *funding*-problematiek wegsmelten en hun kapitaalratio's toenemen.
Ze krijgen meer ruimte voor hypotheekverstrekking aan nieuwe toetreders op
de woningmarkt. Meer creativiteit en flexibiliteit kan zo van een probleem een
oplossing maken.

Een praktische vraag is of er geen gevaar dreigt dat mensen het geld verjube-
len – per slot van rekening een niet onbelangrijke reden waarom we überhaupt
een pensioensysteem hebben.

Zwitserland kent daar een goede oplossing voor. Als iemand met pensioenpremie of pensioenkapitaal een hypotheek aflost, wordt daarvan een kadastrale
aantekening gemaakt. Het is dan niet mogelijk voor het afgeloste deel opnieuw
een extra hypotheek op te nemen, behalve bij significante overwaarde ten
behoeve van restauratie of uitbreiding. Daarnaast moet je in Zwitserland bij
verkoop van een huis het deel dat je uit je pensioenregeling hebt gehaald in je

pensioenregeling terugstorten. Je krijgt daar dan wel de pensioenaanspraak voor terug. Dus als je op enig moment van een koop- naar een huurhuis wilt dan kan dat, en dan ruil je dus weer terug van huis naar pensioeninkomen. Meenemen van het ene koophuis naar de volgende kan uiteraard altijd, maar ook dan is het niet toegestaan meer hypotheek te nemen dan strikt noodzakelijk. Bij overlijden moeten de erven verplicht terugstorten in de pensioenregeling als er een nabestaanden- of wezenpensioen is. Is dat er niet, dan kan het geld direct naar de erfgenamen gaan.

Vergeving

Indien de voorgaande oplossing onvoldoende soelaas biedt, is er nog zoiets als vergeving. Kwijtschelding of vergeving wordt vaak gezien als dubieus omdat het onwenselijk gedrag zou belonen. Binnen de schuldreductie kan vergeving echter een heel nuttige functie hebben. De vraag of zich slecht gedragende mensen, bedrijven of landen vergeven moet worden, is economisch te beantwoorden aan de hand van het begrip *sunk cost fallacy*. Gedane zaken nemen geen keer, dus het heeft geen zin om je druk te maken over slechte investeringen uit het verleden. In de economische theorie houdt de dwaling of denkfout van de *sunk cost fallacy* in dat deze eerdere investeringen vaak ten onrechte worden meegenomen in beslissingen over de toekomst (Boettke & Coyne 2007).

Een belangrijke vraag is wat de functie van vergeving is voor de toekomst. In het economische verkeer is vergeving – expliciet of impliciet – niet zo onvoorwaardelijk als bijvoorbeeld bij Jezus of Boeddha, waar onconditioneel vergeven behalve een morele betekenis een educatieve functie heeft. De *sunk cost fallacy* ontbeert deze expliciet morele kant. In de praktijk zijn ervaringen uit het verleden wel degelijk van belang, omdat ze bepalen hoe je tegen de toekomst aan kijkt. Het meewegen van het verleden als het gaat om de toekomst is daarmee niet altijd een dwaling; het hangt af van hoe je dat doet. Het wordt een dwaling als je financieel of moreel reeds 'afgeschreven' investeringen mechanisch – zonder rekening te houden met de context – opvoert in plannen voor de toekomst. Dan komt het begrip 'vergeving' van pas.

Effectieve schuldresolutie dient derhalve niet alleen punitief te zijn. Vergeven is een opmaat naar een gemeenschappelijke toekomst. Een belangrijk element van

vergeven is immers dat je niet elke keer weer op de 'zonde' terugkomt; de schuld
is afgelost. Toen Václav H...

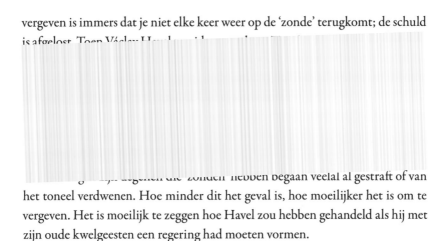

...g zijn tegen... die zonden hebben begaan veelal al gestraft of van
het toneel verdwenen. Hoe minder dit het geval is, hoe moeilijker het is om te
vergeven. Het is moeilijk te zeggen hoe Havel zou hebben gehandeld als hij met
zijn oude kwelgeesten een regering had moeten vormen.

De essentie van vergeving is het ontbreken van een formele eis tot tegenprestatie – financieel of anderszins – en de aanwezigheid van op zijn minst een
impliciete veronderstelling van een aanpassing van toekomstig gedrag, gebaseerd
op gedeelde morele en ethische regels. Het is daarmee niet efficiënt om bij vergeven
uit te gaan van een *quid pro quo*- ofwel 'voor wat hoort wat'-benadering, zoals
de econoom Tyler Cowen beargumenteert (Cowen 2006). Niet alle schulden
uit het verleden behoeven altijd tot de laatste cent compensatie; dan is er ook
geen vergeving nodig. Het voordeel van de economische *sunk cost fallacy* is de
gerichtheid op de toekomst. *Quid pro quo* kan wel appelleren aan gevoelens van
rechtvaardigheid, maar is vaak niet verstandig voor de toekomst.

Vergeven verenigt daarmee elementen van zelfreflectie en van mededogen.
Hoe explicieter de zelfreflectie, des te gemakkelijker het mededogen. Mededogen
en zelfreflectie fungeren als smeermiddel in het sociale verkeer. Te ruimhartige
vergevingsgezindheid kan echter uiteindelijk leiden tot een morele *race to the
bottom* – iedereen vergeeft iedereen en niemand houdt zich meer aan afspraken.
Vergeven en zelfreflectie zijn aldus belangrijke partners.

Dat geldt zeker wanneer schuldenaren te goeder trouw schulden zijn aangegaan en buiten hun eigen schuld in de problemen zijn geraakt. In dat geval is
(gedeeltelijke) kwijtschelding in ethische zin gerechtvaardigd. De bank kan op
basis van taxatie van het potentiële verlies bij gedwongen verkoop een deel van de
schuld kwijtschelden. Als liquidatie toch leidt tot een verliespost voor de betreffende bank, dan kan het ook voor de bank aantrekkelijker zijn om die kwijt te

schelden. Zo blijft de klant voor de bank behouden en is het mogelijk een pijnlijke en gedwongen verkoop, waaraan de bank vaak weinig overhoudt, te vermijden. Vergeving is vooral aan de orde bij de leningen aan de probleemlanden. Het omzetten van die leningen naar een zeer lange looptijd en tegen een zeer lage rente, komt effectief op hetzelfde neer als vergeving.

Faillissement en vernederende procedures

En als het echt niet anders kan, kunnen we schuldenaren altijd nog failliet laten gaan. In Nederland wordt failliet gaan beschouwd als falen. In de Verenigde Staten wordt het meer gezien als een kans om opnieuw te beginnen. Geen bestraffende blik naar het verleden, maar een optimistische blik naar de toekomst. In Nederland kan een natuurlijke persoon wel failliet gaan, maar dat leidt niet tot het kwijtschelden van de schulden. Zodra iemand weer wat verdient, staan de schuldeisers op de stoep, ook na een faillissement. Je komt alleen van je schulden af door middel van de Wet schuldsanering natuurlijke personen (Wsnp), waarbij je jarenlang, omkleed met vernederende procedures, van het absolute minimum moet rondkomen, ook als schuldeisers daar nauwelijks iets mee opschieten.

Het is veelal onzinnig om families de schuldsanering in te jagen, aangezien dit economisch niets oplevert. En het is vaak ook onrechtvaardig, omdat de schuldenaren lang niet altijd de (volledige) verantwoordelijkheid dragen voor de ontstane problemen. Niet zelden is het een combinatie van kuddegedrag, sluwe marketingtactieken van financiële spelers en pech.

De schuldsaneringswet is ontaard in een strafmaatregel die geen ander doel dient dan de 'slechtheid' van schuldenaren aan te tonen, ook als het ontstaan van de schulden een 'onschuldige' oorzaak heeft. We moeten in Nederland het persoonlijke faillissement met kwijtschelding mogelijk maken. Deze oplossingsrichting krijgt nu extra betekenis, aangezien de Nationale Hypotheek Garantie (NHG) haar criteria voor kwijtschelding sterk heeft aangescherpt. Onder de nieuwe regels worden mensen veel vaker gedwongen in hun huis te blijven wonen, ook al is de hypotheek inmiddels acht keer het inkomen. De woonlasten zorgen dan voor armoede, zonder mogelijkheid daar iets aan te veranderen. Het moet mogelijk zijn dat mensen die te goeder trouw gehandeld hebben door middel van een regulier faillissement van hun schulden af kunnen komen. In één keer worden alle bezittingen geliquideerd, met de opbrengst worden de schuldeisers betaald,

...gelijk als anderen schulden aangaan en risico's nemen. De miljoenen burgers in Europa zijn niet geholpen met het zonde- en boetedenken. En ook de schuldeisers niet. Vermogen en spaargeld behouden immers alleen hun waarde als de economie blijft draaien. Het gezond maken van de banken is een eindeloos proces zolang de wanbetalingen op schulden blijven oplopen. Een snelle reductie van de private schulden kost dan ook geen geld maar levert geld op, ook voor de banken.

Een initiatiefwet van een politieke partij op dit gebied is naar verwachting niet helemaal kansloos.

Aan de slag dus

We concluderen dat het begrip schuld een onnodig negatieve lading heeft gekregen door twee totaal verschillende oorzaken. Ten eerste omdat er noch in het internationale noch in het persoonlijke verkeer een goed resolutiemechanisme is voor het geval schuldenaren in aflossingsproblemen geraken. Dit leidt tot moeizame discussies en vernederingen in plaats van tot toekomstgericht handelen. Naast een economisch onwenselijk effect, heeft dit gevolgen voor de moraal in een land. Een tweede reden waarom schuld geproblematiseerd is, ligt in het verlengde van het boek van David Graeber. We bouwen een maatschappij op basis van schuld, zonder dat voldaan is aan de basisvoorwaarden van economie en moraliteit van schuld: tegenover schuld staan economische baten waarbij in een rechtvaardige verdeling tussen beide partijen is voorzien. De combinatie van beide problemen is uiterst onwenselijk en behoeft hoge prioriteit bij beleidsmakers.

De private schuldenberg is in Europa tot een dusdanige hoogte gestegen dat een neerwaartse spiraal dreigt: schulden knijpen de consumptie af, vraaguitval laat werkloosheid oplopen, dat leidt tot meer schulden etc. Dit geldt in het bijzonder voor Nederland, waar de berg het hoogst is. Een fatsoenlijk mechanisme om ontspoorde private schulden weer terug te brengen tot aanvaardbare proporties is vereist. Dit levert niet alleen economisch voordelen op, maar introduceert ook moraliteit van schuld als ordenend principe voor resoluties. Hierdoor kunnen de menselijke maat en de economische groei hand in hand gaan in de toekomst. Zolang de schulden hoog blijven, zal de economische groei laag en de werkloosheid hoog blijven. Dat leidt tot een verstikkende samenleving waar burgers zich bedreigd, en jongeren zich bekneld voelen. Reductie van de private schulden is dan de bevrijding waarnaar kiezers verlangen. Aan de slag dus.

De val van Lehman Brothers kwam als een donderslag bij heldere hemel. In korte tijd werden ontwikkelde economieën plotseling geconfronteerd met gebeurtenissen die sinds de jaren dertig van de vorige eeuw niet meer waren voorgekomen. Banken werden gered, de economie viel stil, de grensoverschrijdende kapitaalstromen krompen ineen en vervolgens brak de periode aan van het grote bezuinigen. Na het feest van het door schuld gedreven kapitalisme kwam de kater, en de staat was de aangewezen partij om de troep op te ruimen. De verliezen werden publiek bezit en de staatsschuld groeide, nadat de winsten al privaat waren verdeeld tussen de aandeelhouders.

De crisis is het resultaat van een lang en ingrijpend transformatieproces dat ruim veertig jaar in de maak is geweest. De naoorlogse politieke economie en internationale betrekkingen zijn in deze periode onherkenbaar veranderd. De machtsrelaties tussen de financiële sector en andere economische sectoren zijn verstoord geraakt. De crisis heeft vooral laten zien dat nationale staten in ongekend tempo soevereiniteit dreigen kwijt te raken. De supranationale bezuinigingspolitiek en de roep om een verdieping van neoliberale verhoudingen – onder de noemer van 'hervormingen' – dreigen democratische besluitvormingsprocessen verder te ondermijnen. De Engelse socioloog Colin Crouch (2011) refereert aan deze paradoxale wederopstanding van marktgeoriënteerde oplossingen als *The strange non-death of neoliberalism*.

De speelruimte voor transnationale ondernemingen, waaronder financiële instellingen, is vrijwel onbegrensd, terwijl politieke processen nationaal gebonden zijn. De besluitvormingsprocessen in de verschillende landen worden gegeseld door een financiële sector die sneller, harder en effectiever te werk gaat dan de traditionele 'politiek'. Een dramatisch hoge werkloosheid moet concurreren met de aandacht die politieke elites schenken aan de kapitaalmarktrente. De 'hulp' aan Griekenland is gebruikt om het aandeel van buitenlandse banken te verkleinen, terwijl het land zelf decennialang draconische bezuinigingen opgelegd krijgt. Dit zijn gevaarlijke processen die het sociale contract in het hart raken, het electoraat vervreemden en tot een onbestuurbare politieke polarisatie kunnen leiden. De vergelijking met het interbellum is niet ver weg.

De kredietcrisis is een symptoom van een veel breder vraagstuk. Dit vereist beleid dat tijd kan winnen, aangezien de achterliggende problemen multicausaal en complex zijn en een lange adem vergen. Het zijn geen technische aangelegenheden die we kunnen overlaten aan een kaste van professionele economen, maar politieke kwesties. In de tussentijd moet de nationale staat worden teruggewonnen. In plaats van te fungeren als instrument voor multinationale ondernemingen en onbegrensde financiële markten, is het wenselijk dat de staat in de eerste plaats ruimte biedt voor een pluriform politiek debat, dat niet bij voorbaat vastligt in de bestaande supranationale *governance*-structuren. Een voorwaarde hiervoor is het instellen van een zogenoemde *sovereign debt restructuring mechanism* (SDRM): een schuldresolutiemechanisme. Dit is een constructie waarmee het mogelijk is publieke schulden te heroverwegen en, net als het systeem dat we voor particulieren en bedrijven kennen, een faillissement te regelen op basis van een transparant en aanvechtbaar juridisch raamwerk. Evenals particulieren bij een ondragelijke schuld aanspraak kunnen maken op rechtsbescherming, moeten nationale staten ook toegang krijgen tot een internationaal erkend resolutiemechanisme. De huidige voorstellen pleiten voor invoering van een tribunaal geënt op het faillissementsrecht uit de Verenigde Staten.

Een (dreigend) faillissement voorkomt een te grote macht van de schuldeiser (financiële sector) ten opzichte van de schuldenaar (publieke sector). Hierdoor wordt de pijn verdeeld tussen schuldeiser en schuldenaar. Nu kunnen banken ongestraft te veel uitlenen aan landen die dit niet kunnen dragen, zoals Griekenland. Door banken duidelijk te maken dat ze verliezen zullen moeten nemen bij een faillissement, zal dit probleem zich waarschijnlijk minder vaak voordoen. Een resolutiemechanisme is een voorwaarde voor nationale staten in het tijdperk van hypermobiel kapitaal om de soevereiniteit te waarborgen. Toen Latijns-Amerikaanse landen in de jaren tachtig hun soevereiniteit verloren door de schuldencrisis, keek de rest van de wereld de andere kant op. Hetzelfde dreigt met Griekenland

is terug te winnen op transnationale marktkrachten. Ruimte die nodig is om tot een duurzame regulering van financiële markten te komen.

Hier zijn we eerder geweest

In 1944 werd de laatste hand gelegd aan twee boeken: *The great transformation* van de Hongaarse economisch historicus Karl Polanyi, en *De crisis van dertig jaar* van de Nederlandse econoom Jan Tinbergen. In zijn baanbrekende boek schetst Polanyi de opkomst van de industriële samenleving in de negentiende eeuw. De economie die tot dan toe was ingebed in kleinschalige sociale structuren begon in deze periode volgens de auteur onderdeel te worden van een wereldomspannend systeem van vrijemarktkrachten, aangestuurd door het internationale monetaire stelsel van de gouden standaard. Dit systeem werkte ontwrichtend en leidde tot een roep om sociale bescherming tegen de uitwassen van de zelfregulerende markten. Polanyi beschrijft hier in feite de ontkoppeling van de economie van de maatschappelijke sfeer en de gevolgen van dit proces voor het politieke systeem.

Globalisering leidt er in deze visie toe dat de marktkrachten zich steeds autonomer verhouden tot de rest van de politieke economie. Doordat investeringen van het ene naar het andere land stromen, worden nationale staten concurrenten van elkaar in het aantrekken van kapitaal. De concurrentie wordt zichtbaar in het versoberen van sociale rechten en fiscale cadeaus aan bedrijven die grensoverschrijdend opereren. Deze mobiliteit van kapitaal, dat onderdeel is van globalisering, geeft marktkrachten een onevenredige machtspositie. Dit leidt onherroepelijk tot electorale tegenkrachten, die roepen om de inbedding van markten in een breder maatschappelijk verband.

Het verhaal van Tinbergen sluit hierop aan. Hij keek voornamelijk terug naar het politieke moeras van het interbellum dat de verwoesting van de ene oorlog met de andere had verbonden. In zijn boek liet hij echter zien klaar te zijn voor de toekomst en bereidde hij zich voor op het einde van de oorlog. De wereld die Tinbergen voorzag, was gebouwd rond het idee dat het *laisser faire*-kapitalisme verleden tijd was. De staat zou een centrale rol krijgen in de economie. Het was geboden de inkomensverschillen binnen en tussen landen terug te brengen, de handelsbalansen in evenwicht te doen geraken en een conjunctuurpolitiek te voeren.

Deze elementen kennen we allemaal van de keynesiaanse politieke ordening die dominant werd na de oorlog. Keynes had al vroeg gekozen voor een evenwichtige aanpak van internationale economische en politieke betrekkingen. In zijn boek *The economic consequences of the peace* (1919), waarin hij de gevolgen van het Verdrag van Versailles analyseerde, kwam hij tot duidelijke conclusies. De kosten eenzijdig bij de verliezer leggen, schaadt uiteindelijk iedereen. Ook bij de Bretton Woods-bijeenkomst in 1944, waar de oprichting van het Internationaal Monetair Fonds (IMF) en de Wereldbank werd besproken, bepleitte Keynes een aanpassing van zowel landen met een overschot als landen met een tekort op de handelsbalans.

Een dergelijke verdeling van de aanpassingskosten was evenwel onaanvaardbaar voor de Verenigde Staten, waardoor dit principe geen gemeengoed werd in het naoorlogse Bretton Woods-stelsel. Het onder controle krijgen van vrije internationale kapitaalstromen werd wel een centraal element van de naoorlogse ordening. Hierdoor waren nationale economieën beter afgeschermd, wat een voorwaarde was voor de keynesiaanse politiek van volledige werkgelegenheid en de opbouw van verzorgingsstaten. Financiële markten waren geconcentreerd in nationale financiële centra. De Verenigde Staten hadden sinds de jaren dertig te maken met een splitsing tussen bancaire activiteiten en het verbod om in meer dan één staat tegelijkertijd actief te zijn. Dit alles was bedoeld om 'het beest' onder controle te krijgen. Het jaar 1929, het feest dat eraan vooraf was gegaan, de paniek en de depressie die erop volgden, waren allemaal in het geheugen gegrift van een generatie beleidsmakers. Deze les zijn we – politici, beleidsmakers, kiezers – echter vergeten.

Het kapitaal komt weer in beweging: de kiemen voor de crises

jaren zestig steeds meer ontsnappingsroutes. Een daarvan was de zogenoemde eurodollarmarkt in Londen: een concrete locatie waar regels waren versoepeld en waar vooral banken uit de Verenigde Staten actief activiteiten konden ontplooien die in hun thuismarkt onmogelijk waren.

Londen was hiermee een belangrijke bakermat voor de groei van een netwerk van offshore financiële centra (Palan e.a. 2010). Deze centra, variërend van Londen tot de Caribische eilanden en Singapore, boden het opgesloten kapitaal de mogelijkheid belasting en regels te ontwijken. De eurodollarmarkt was een nieuw begin van een internationale kapitaalmarkt (Cassis 2006). Parallel hieraan nam de druk toe om effectenbeurzen te liberaliseren, zodat naast de vaste spelers ook buitenstaanders – vanuit het buitenland – konden deelnemen aan de handel (Michie 2006). New York was de eerste in 1971. De Big Bang in Londen in 1986, de door Margaret Thatcher gemandateerde liberalisering van de London Stock Exchange, betekende voor de rest van Europa dat financiële centra – voorheen grotendeels nationaal georiënteerd – plotseling met elkaar in een openlijke concurrentie waren verwikkeld (Engelen 2007).

Dit leidde tot een groeiende hiërarchie, met Londen en New York als absolute winnaars en kleinere centra als verliezers. De twee winnaar-centra werden ook het toneel van een innovatie van de transnationale financiële markt vanaf de jaren negentig, met continu nieuwe producten en technieken en een levendige biotoop van grote banken en kleinere vermogensbeheerders. Londen en New York manifesteerden zich steeds meer als wereldwijde financiële supermarkt, met alles onder één dak, waarmee de kleinere nationale centra – naar analogie van de supermarkten in onze steden en de lokale middenstand – de kleinere nationale centra werden verdrongen. We zien hier een transnationaal, niet aan landsgrenzen gebonden, financieel systeem ontstaan waar nationale kampioenen naartoe trekken, zoals Deutsche Bank en ABN AMRO.

Het naoorlogse Bretton Woods-systeem, met een beperking van de mobiliteit van kapitaal en een maximale politieke ruimte voor nationale staten, viel geleidelijk uit elkaar in de jaren zeventig en tachtig. Staten werden concurrenten van elkaar in het aantrekken van steeds mobieler kapitaal, wat een neerwaartse spiraal van regulering in de hand werkte (Strange 1998). In Nederland werden de restricties op de mobiliteit van kapitaal in 1983 volledig opgeheven. We zien een periode van 'concurrerende deregulering' en grootschalige privatisering. Het neoliberalisme doet zijn intrede. De publieke sfeer is in deze ideologie een sta-in-de-weg voor de efficiënte marktwerking. En de vraagkant van de economie, de volledige werkgelegenheid en de lonen zijn niet meer de centrale thema's in het economische beleid van landen. Het aandeel van de lonen in de wereldeconomie nam af van 63 procent in 1980 tot 54 procent in 2011. Hierdoor was er in 2011 grofweg 6.000 miljard dollar minder beschikbaar voor de beloning van de productiefactor arbeid en meer voor de beloning van kapitaal. Het proces van financiële globalisering en de nieuwe machtsverhoudingen die hiervan het gevolg waren, leidden dus tot een grote herverdeling van de wereldwijde economische koek.

De schuldencrisis in Latijns-Amerika en de Washington Consensus

Tegen de achtergrond van deze brede heroriëntatie van de internationale politieke economie vond in Latijns-Amerika een drama plaats. De schuldencrisis die in 1982 in Mexico begon, zou een meer dan twintig jaar durende inmenging van het IMF en de Wereldbank met zich meebrengen. De grote financiële reserves die olieproducerende landen hadden opgebouwd in de jaren zeventig, leidden tot de zogenoemde recycling van 'petrodollars'. Deze dollars werden via banken in Europa en de Verenigde Staten uitgeleend aan bedrijven, vermogende particulieren en overheden in ontwikkelingslanden, voornamelijk Latijns-Amerika. De 'Volcker Shock' in 1981 – een plotselinge stijging van de rente in de Verenigde Staten tot wel 21 procent, bedoeld om de inflatie een halt toe te roepen – leidde wereldwijd tot een stijgende kapitaalmarktrente. Dit monetaire beleid sloot het net achter achttien Latijns-Amerikaanse landen die gevangen zaten in een web van schulden die niet meer tegen de veel hogere rente konden worden geherfinancierd. De schuldencrisis was hiermee een feit.

Het gevolg van deze crisis was een groeiende rol voor de Wereldbank en het IMF. H

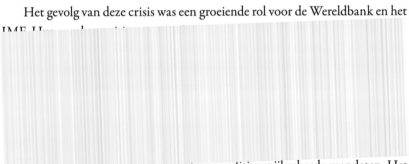

...ingsmogelijkheden, waren deze condities spijkerharde mandaten. Het zou meer dan twee decennia duren en voor sommige landen, zoals Mexico en Argentinië, een tweede crisis vergen voordat het IMF serieus zou overwegen de schulden te herstructureren. De Latijns-Amerikaanse landen zijn uiteindelijk uit het dal gekropen doordat de externe voorwaarden verbeterden, de rentelasten omlaaggingen en de waarde van de export van primaire goederen toenam in het nieuwe millennium.

De kosten van deze twee decennia in termen van economisch verlies en verloren generaties is één kant van het verhaal. De andere kant is de schade aan de politieke cultuur en de publieke instituties. De radicale privatiseringspolitiek leidde in de meeste landen tot een chaotische zelfverrijking van een lokale elite. Van Chili tot Rusland kennen we de voorbeelden van het ontstaan van een kleine oligarchie, met economische en politieke macht, als gevolg van een snelle, door externe technocraten, opgelegde privatisering (Mayol 2012). De schuld nam ondertussen alleen maar toe. In Venezuela bijvoorbeeld nam deze als percentage van het bnp toe van 20 procent in 1982 tot 69 procent in 1995. In Bolivia nam de schuld toe van 35 procent van het bnp in 1982 tot 74 procent in 1995 (data Wereldbank). Publieke investeringen in de economie namen af van 12 procent van het bnp in 1980 tot 2 procent in 2000 (data Wereldbank). De maatregelen waartoe het IMF landen verplichtte, deden de schuldenlast ook niet afnemen – integendeel. Publieke uitgaven werden een generatielang afgeknepen.

Als we de balans opmaken van deze periode, dan moeten we concluderen dat van de lessen van Keynes weinig is overgebleven. De nationale staten werden uitgehongerd maar in leven gehouden om de private belangen te kunnen behartigen. De afhankelijkheidsrelatie is misbruikt om een economisch model te introduceren. Dit is wat Naomi Klein (2007) een 'shock-therapie' noemt. Het is belangrijk om stil te staan bij wat hier is gebeurd alvorens te oordelen over de hulpprogramma's voor Griekenland vandaag de dag.

Internationale herstructurering van schulden is niet nieuw

In de jaren dertig waren niet alleen ontwikkelde economieën het slachtoffer van de depressie. Ook Latijns-Amerikaanse landen werden meegesleurd met de Verenigde Staten en Europa. Dit resulteerde ook toen in een schuldencrisis. Net als Duitsland konden landen in Latijns-Amerika niet meer aan hun internationale schuldverplichtingen voldoen. Behalve Argentinië, dat vastzat in een verdrag met het Verenigd Koninkrijk, stopte in de jaren dertig het ene na het andere land met het aflossen van de buitenlandse schuld (Bertola & Ocampo 2012). Er was geen supranationaal institutioneel apparaat, zoals in de jaren tachtig, dat landen langdurig kon verplichten een beleid te voeren dat leidde tot een economische krimp. Ondanks dat de directe gevolgen van de wereldwijde depressie enorm waren, volgde het herstel heel snel. Een belangrijke oorzaak hiervoor was het stopzetten van de rentebetalingen en aflossing op de buitenlandse leningen.

Een wezenlijk verschil met vroeger tijden is de tegenwoordige hegemonie van de Verenigde Staten. In de negentiende-eeuwse Pax Britannica was internationale beleidscoördinatie informeel, incidenteel en gefragmenteerd (Eichengreen 2011). De gouden standaard in het interbellum kende geen formele internationale besluitvormingsprocessen. In deze periode ontstond naast de Volkenbond weliswaar de Bank voor Internationale Betalingen, maar deze BIB – opgericht om de herstelbetalingen van de Eerste Wereldoorlog te regelen – zou pas in de jaren zeventig de centrale plek worden voor internationale beleidscoördinatie op het gebied van financiële stabiliteit. Na de Tweede Wereldoorlog ontstonden op verschillende grensoverschrijdende beleidsterreinen formele en informele instituties. De dominante rol van de Verenigde Staten in de wereldeconomie ontvouwde zich – in tegenstelling tot die van het Verenigd Koninkrijk in de negentiende eeuw – door middel van een overlappend systeem van internationale, beleid makende instellingen. Deze supranationale besluitvormende organen hielden niet een 'democratisering' in van de internationale betrekkingen waarbij verschillende natiestaten zeggenschap kregen, maar vormden veelal het kader

waarbinnen de dominantie van de Verenigde Staten was geïnstitutionaliseerd
(Konings 2008)

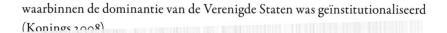

uitgroeide tot de G-77. In 1974 had dit geresulteerd in de proclamatie van een
'nieuwe internationale economische orde', waarbij vrijemarktkrachten werden
gezien als probleem voor ontwikkelingslanden. De UNCTAD pleitte onder
andere voor een multilateraal raamwerk voor de regulering van investeringen
van transnationale ondernemingen en voor een beperking van vrijhandel. Deze
stellingname, in het midden van de Koude Oorlog, werd de UNCTAD niet
in dank afgenomen door de Verenigde Staten en daardoor verloor de VN-
organisatie veel invloed.

In 1977 – dus voor de schuldencrisis in Latijns-Amerika – kwam de UNCTAD
met een eerste voorstel voor een internationaal mechanisme om soevereine schulden
te herstructureren (UNCTAD 1986). Hierin schreef de VN-organisatie onder
andere dat 'finding a means through which debt-servicing difficulty could be
avoided was one of the most important tasks facing the international community'.
En: 'In the multilateral forum agreed upon by the debtor and the creditors, the
Chairman would conduct the debt operation in a fair impartial manner, in ac-
cordance with the agreed objectives, so as to lead to equitable results in the context
of international co-operation' (UNCTAD 2012).

In 1986 kwam de UNCTAD met een uitgewerkt plan om publieke schulden
te herstructureren met als voorbeeld het Amerikaanse faillissementssysteem.
Ook de Amerikaanse invloedrijke journalist en politiek econoom Benjamin
Cohen komt in 1989 met het idee om een zogenoemde *international debt restructuring agency* (IDRA) op te richten. In beginsel zou dit een filiaal van
het IMF kunnen zijn, maar op termijn zou het tot een onafhankelijk instituut
moeten uitgroeien (Cohen 1989). In de voorstellen van Cohen en de UNCTAD
wordt benadrukt dat de cruciale functie van een schuldresolutiemechanisme

het 'collectieve-actieprobleem' is. Gezamenlijk kunnen schuldeisers een belang hebben bij een snelle oplossing, maar individueel zijn ze vaak geneigd procedures zo lang mogelijk te rekken.

Meerdere voorstellen zouden tot het midden van de jaren negentig volgen (Rogoff & Zettelmeyer 2002). In de nasleep van de Aziatische financiële crisis in 1997 en de lopende WTO-onderhandelingen kwamen verschillende maatschappelijke organisaties, ngo's en protestbewegingen samen bij steeds grotere demonstraties. De 'andersglobaliseringsbeweging' droeg bij aan de verspreiding van de gedachten van een 'Jubilee 2000'. De (tweede) Argentijnse schuldencrisis in 2001 was ten slotte een belangrijke katalysator. Uiteindelijk heeft het IMF voorstellen gedaan voor een *sovereign debt restructuring mechanism* (SDRM). Het IMF was echter verdeeld en bij private partijen groeide de weerstand tegen een multilateraal kader (Blom 2011). In 2003 wordt het plan voor de uitwerking van het idee van een schuldresolutiemechanisme geschrapt door het IMF vanwege het gebrek aan politieke steun. De UNCTAD komt pas weer in 2012 met het idee om de discussie nieuw leven in te blazen met de eurocrisis.

Een andere wereld

In het kielzog van het proces van financiële globalisering vanaf de jaren zeventig en de opkomst van een nieuwe internationale politieke economische orde, zien we ook de opkomst van financialisering in de jaren negentig. Dit is een economisch verdienmodel waar geld met geld maken dominant is (Krippner 2005). Kapitaal wordt minder geïnvesteerd in de 'reële' economie en meer in financiële markten. Het aandeel van de financiële sector in de economie, de omvang van de bankbalansen en de schulden van huishoudens en bedrijven raken uit evenwicht. De door schuld gedreven economie is in 2008 in crisis geraakt. De fundamentele oorzaken van de financialisering zijn echter nog aanwezig. Dit zijn de grote spaarpotten die op zoek zijn naar investeringen. Deze spaarpotten bestaan voor het grootste deel uit institutionele beleggers, de besparingen van transnationale ondernemingen – grotendeels gestald in belastingparadijzen – en de handelsoverschotten van opkomende economieën.

Het is waarschijnlijk dat de kredietcrisis onderdeel is van een langere reeks zeepbellen die in ieder geval sinds de Aziatische crisis gaande is, en mogelijk al daarvoor. Dit nieuwe normaal is volgens Larry S~~ummers~~ ~~Bad~~ 'seculiere st~~agnatie~~.' ~~...~~

~~...~~poraties, ziekenhuizen, ~~...versiteiten~~), waarbinnen in het tijdperk van financialisering veel risico's zijn overgenomen (Engelen e.a. 2014).

Kortom: we hebben te maken met een gevaarlijke wereld. De financiële sector heeft zich fragiel getoond én heeft laten zien bij machte te zijn regulering te blijven beïnvloeden. Het paradoxale is dat de negentiende eeuw met zijn gebrek aan een internationale institutionele ordening, waardoor landen – met of zonder militair ingrijpen – simpelweg failliet gingen, een betere omgeving was dan de huidige. Het kader van supranationale instituties is nu op de hand van de schuldeisers, de financiële sector. De rechten van multinationale ondernemingen en financiële instituties, vastgelegd in bilaterale investerings- en belastingverdragen, staan niet in verhouding tot de plichten. De kredietcrisis heeft laten zien dat de financiële sector grotendeels de kosten heeft neergelegd bij de rest van de economie. Het is daarom van belang om dit onevenwichtige institutionele landschap aan te pakken en de vergeten discussie die ooit door de UNCTAD werd aangezwengeld nieuw leven in te blazen.

Deze discussie moet leiden tot een resolutiemechanisme voor publieke schulden, zoals dat mogelijk is bij schulden van bedrijven. Hiervoor moet een onafhankelijke instelling opgericht worden. Een dergelijk resolutiemechanisme zal geen schuldencrisis voorkomen, maar laat de private partijen risico dragen voor hun investeringen. Het moet bovenal voorkomen dat landen te maken krijgen met decennialange bezuinigingstrajecten, opgelegd door een techno-cratische elite. Een dergelijke aanpassing legt de pijn eenzijdig bij nationale overheden, die niet anders kunnen dan die doorgeven aan de bevolking. Dit heeft economische, culturele en politieke consequenties, en kan spoken uit het verleden tot leven wekken.

Het wordt tijd om de lessen van Polanyi en zijn tijdgenoten serieus te nemen en in te zien dat een markteconomie onderdeel moet zijn van een maatschappelijke structuur. Het wordt een lange weg om de processen achter de financiële globalisering en financialisering weer onder controle te krijgen. Het schuldresolutiemechanisme biedt in ieder geval aan nationale staten de ruimte om in de huidige gevaarlijke wereld op een evenwichtige manier met elkaar om te gaan. De zogenoemde 'Dijsselbloem-doctrine', waarbij grote spaarders, aandeelhouders en obligatiehouders meebetaalden aan het redden van de banken op Cyprus in 2013, laat zien dat het politieke tij te keren lijkt. In plaats van *ad hoc*-oplossingen die wel in Cyprus maar niet in Ierland en Spanje zijn toegepast, is het zaak te pleiten voor het structureel versterken van de positie van nationale staten in het huidige speelveld van kapitaalmarkten. Een schuldresolutiemechanisme is zo'n versterking. Er is al veel voorwerk gedaan, het gaat om het mobiliseren van politieke wil – een andere wereld is mogelijk.

Totale wanhoop. Bij het landelijk Meldpunt Voorkomen Huisuitzettingen van de Stichting Eropaf![1] maken we het vaak mee. Via onze site www.huisuitzetting. info melden zich vrijwel dagelijks mensen bij wie een huisuitzetting dreigt. In het veldje 'toelichting' schetsen veel melders in een paar zinnen hoe ze hopeloos vastlopen in de omstandigheden. Vrijwel nooit is er sprake van alleen schulden of betalingsachterstanden in huur of hypotheek. Bijna altijd gaat het om een combinatie van factoren waardoor mensen verstrikt raken in kafkaiaans aandoende situaties. Het begint met relatief kleine betalingsachterstanden door verandering van baan, echtscheiding, ziekte, te veel ontvangen toeslagen, tijdelijk geen inkomen. Al snel komen de aanmaningen en incassoprocedures met bijkomende kosten. Korte tijd later gevolgd door juridische procedures en eenzijdig opgelegde invorderingsmaatregelen als bronheffingen of te hoog vastgestelde loonbeslagen. Daarna is er geen houden meer aan en komt uiteindelijk dakloosheid in zicht. En als er kinderen zijn, is op de achtergrond de dreiging van gedwongen ingrijpen door Bureau Jeugdzorg constant aanwezig.

Ondanks het feit dat ik al ruim twintig jaar met dit onderwerp bezig ben, overvalt mij bij iedere melding opnieuw een gevoel van moedeloosheid; waar te beginnen? Baan verloren, salaris tegoed, wachten op een uitkering, en de verhuurder wil 'nu' z'n geld want anders laat hij de deurwaarder de ontruiming doorzetten. Maar dat geld is er 'nu' even niet.

We proberen in onze samenleving alles goed te regelen en te organiseren en bestuderen overal nauwkeurig de effectiviteit van om daarna weer aanpassingen te kunnen doen. Maar hoe kan het dan toch zo zijn dat systemen, regels en protocollen voor bepaalde mensen in bepaalde situaties zo tegen elkaar in

werken? Waarom creëren wij door de combinatie van al die regels, systemen
en protocollen een steeds sterker – neerwaarts gericht – zuigend moeras? Hoe
komen die mensen ooit weer uit die fuik? Tegen welke prijs? Waar vinden we
binnen de betrokken organisaties en systemen de mensen die tegen de stroom
in met een menselijke en vooral brede blik naar de geschetste situaties willen
en kunnen kijken? En zijn zij er dan ook toe bereid en in staat de ogenschijnlijk
onvermijdelijke gang naar de straat te voorkomen? Waarom lukt het niet de
mechanismen die tot deze excessen leiden in hun samenhang te bekijken en te
sturen? Wat is toch ons probleem?

Een schuldhulpindustrie van een enorme omvang

De mailmeldingen van dreigende huisuitzettingen komen van betrokkenen zelf
of van mensen uit hun omgeving.

> J. wordt 6 maart 2014 uit haar woning gezet, heeft geen bijstand of andere
> inkomsten door omstandigheden. Huurachterstaand volgens vonnis
> bedraagt 2500 euro voor 5 maart te voldoen.
>   Gemeente en instanties wijzen naar elkaar.
>   Persoon is erdoor uit het veld geslagen en heeft de kracht en puf niet
> gehad om voor zich zelf op te komen. Wordt al drie jaar een beetje door
> de instanties heen en weer gestuurd.
>   Ook hulpverlening doet niets voordat mevrouw een inkomen heeft.
> J. heeft gewerkt in de hulpverlening met jongeren, is door de verharding
> op de werkvloer opgebrand en in deze positie terecht gekomen met haar
> 39 jaar. Situatie is deze week pas duidelijk geworden voor goede bekende.
> Zijn er mogelijkheden om op korte termijn iets te organiseren om te
> voorkomen dat ze moet gaan zwerven?[2]

In twintig jaar tijd is de markt van armoede en schuld uitgegroeid tot een industrie met een enorme omvang. En met forse belangen – niet in de laatste plaats
om de industrie zelf in stand te houden. Grote aantallen mensen verdienen er
hun boterham aan of houden er als 'weldoener' een goed gevoel aan over. Dit is

helaas de enige positieve 'productieve' kant die mij bij het fenomeen materiële
schulden te binnen wil schieten, hoe graag ik de redactie van dit boek ook

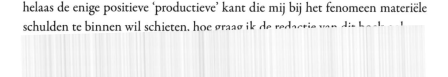

huisuitzettingen, krijg ik steeds meer de kriebels als ik mensen hoor beweren dat
ellende louterend werkt. Voor mij klinkt dit vooral als een rechtvaardiging om je
er niet schuldig over te hoeven voelen en het moreel aanvaardbaar te maken dat
er mensen in onze samenleving zijn voor wie het leven een constant gevecht is om
en over (te weinig) geld. Over de hele breedte bekeken, kan ik aan het fenomeen
schulden dus weinig positief productiefs ontdekken.

Als ik de markt van armoede en schuld een industrie noem, doel ik niet alleen
op de organisaties die zich direct bezighouden met het saneren van schulden of het
beheren van inkomens. Dan heb ik het ook over incassobedrijven, over bewindvoerders Wet schuldsanering natuurlijke personen (Wsnp), over afdelingen incasso
van organisaties en bedrijven, over deurwaarderskantoren, over salarisadministra-
teurs die de loonbeslagen moeten verwerken, over beschermingsbewindvoerders,
over slotenmakers (bij ontruimingen), verhuizers (idem), politie (idem), opslag-
bedrijven (idem), over beleidsafdelingen van gemeenten die de aanbestedingen
van schuldhulpaanbieders beoordelen en hun collega's bij deze organisaties die
de aanbestedingen schrijven, over medewerkers van banken en andere financiële
instellingen, over de vrijwilligers die ondersteunen bij het op orde krijgen van de
administratie, over budgetcoaches in opkomst, over de vele charlatans en oplich-
ters die regelmatig (op internet) opduiken en mensen in de schulden nog verder
een poot uitdraaien, over de NVVK – vereniging voor schuldhulpverlening en
sociaal bankieren – en al haar leden, over de vele onderzoeks- en adviesbureaus
op dit terrein. En ook over de organisatoren van en sprekers op congressen over
schulden, over de afdelingen sociale zaken van gemeenten, over de opleiders
en onderzoekers bij hogescholen, over de schrijvers (onder anderen die van dit
boek), over de trainings- en scholingsbureaus, over de kantonrechters en andere

juristen die zich met de Wsnp bezighouden, over de medewerkers van jeugdzorg en andere hulpverleningsinstellingen die te maken hebben met gevolgen van de stress die schulden en armoede met zich meebrengen, over de medewerkers van fondsen die giften verstrekken in 'schrijnende' situaties, over de medewerkers van de voedselbanken, over schuldhulpmaatjes en thuisadministrateurs, over de journalisten en programmamakers die bezig zijn met het thema 'schulden', over de bestuurders van weldoenende fondsen... bent u daar nog?

Deze industrie houdt vooral zichzelf in stand – niet volledig bewust wellicht, maar toch. Het is een hoog gejuridiseerde sector met steeds meer regeltjes, procedures en maatregelen die het geheel nog complexer maken. Voor burgers in financiële problemen wordt de materie steeds moeilijker toegankelijk. Als voor het sociaal werk geldt dat het doel in principe moet zijn om zichzelf uiteindelijk overbodig te maken, dan geldt dit natuurlijk ook voor dit 'financieel industrieel complex', maar van deze intentie zijn nog geen tekenen zichtbaar.

Is het echt zo erg? Ja! Alles bij elkaar gaat het misschien wel om honderdduizend mensen die direct of indirect hun brood verdienen aan 'schulden'. We kunnen bij benadering niet bedenken hoeveel geld en energie er zo nogal nutteloos uit onze samenleving 'weglekt' omdat wij ons financiële systeem hebben ingericht zoals het momenteel is. De prijs die we als samenleving betalen voor het in stand houden van de illusie van de op consumeren gerichte vrije markt waarin 'eigen vrije keuze' en vooral 'eigen verantwoordelijkheid' heilig zijn, is van een niet te becijferen omvang. Eerst stimuleren we zo veel mogelijk mensen de onverantwoordelijke kredieten in (hypotheken, consumptieve kredieten, roodstanden, vage financiële producten etc.) en vervolgens richten we een complete schuldhulpindustrie in die de gevolgen hiervan moet dempen. En nog stopt het niet. Tot deze machinerie uiteindelijk piepend en krakend tot stilstand komt, want daarnaar zijn we op weg. Misschien komt er dan ruimte om na te denken over een systeeminnovatie. Verderop in dit hoofdstuk probeer ik wat kleine aanzetten te doen. Maar het moge duidelijk zijn dat de werking van de neoliberale markteconomie tot deze enorme industrie heeft geleid en dat de echte systeeminnovatie hier zal moeten plaatsvinden.

De schade van oninbare schulden

... ...gang van morgen maandag 17 maart 2014 de
sleutels van haar woning bij de woningbouwvereniging te brengen. En
wordt dan haar huis uitgezet! MET DOCHTER EN HAAR BABY!
Zij hield nog maar 750 euro over om van te leven.

De financiële schade die het gevolg is van oninbare schulden, wordt aan de kant
van de schuldeisers redelijk breed verdeeld; in feite voldoen de wel betalende klanten of huurders dit. Schulden worden als oninbaar afgeboekt en de bijkomende
juridische kosten worden altijd door iemand voldaan. In eerste instantie draait de
opdrachtgever (=schuldeiser) van de deurwaarder of het incassobedrijf hiervoor
op, maar vaak probeert deze de kosten alsnog op de schuldenaar te verhalen. Het
komt regelmatig voor dat huisuitzettingen uitgevoerd worden terwijl er feitelijk
geen sprake meer is van huurachterstand; het gaat dan alleen nog om de juridische kosten die een uitzettingsprocedure met zich meebrengt. Waarvan de logica
mij trouwens volledig ontgaat – het rendement is waarschijnlijk een stuk hoger
als hiervoor betalingsafspraken worden gemaakt. Voor de meeste bedrijven of
diensten zijn oninbare schulden ingecalculeerde risico's, net als winkeldiefstal;
de wereld komt er heus niet door tot stilstand.

Toen de financiële wereld wel tot stilstand leek te komen, bijvoorbeeld bij
de dreiging van het omvallen van banken, financiële instellingen en woningcorporaties, toonde de belastingbetaler (en huurder!) zich onvrijwillig ruimhartig.
Vanwege het grote maatschappelijke belang sprong de overheid genereus bij en
heeft deze instellingen behoed voor definitief omvallen.

De sociale en maatschappelijke gevolgen waarmee problematische schuldsituaties van burgers gepaard gaan, lossen zich minder makkelijk op en werken
veel langer door. Ook is er veel minder sprake van genereus bijspringen door

de samenleving (belastingbetaler) – laat staan van ruimhartig kwijtschelden. Tenminste: niet alvorens er een lang en pijnlijk traject van schuldhulpverlening is doorlopen, want pas daarna gloort de 'schone lei'. Een traject waarmee de meeste gezinnen, inclusief aanmeldperiode en wachtlijst, overigens al snel vijf jaar bezig zijn. Gedurende deze periode is het – in afwachting van betere tijden – geduldig 'op een houtje bijten'. Waarbij we overigens moeten beseffen dat steeds minder mensen tot dit saneringstraject worden toegelaten; velen komen slechts tot 'schuldenstabilisatie'. Voor deze groep is de periode van 'houtje bijten' ongewis.

Steeds meer mensen verliezen ook hun woning; Aedes rapporteerde over 2013 weer een toename van bijna 10 procent van het aantal daadwerkelijke huisuitzettingen in de sociale huursector. Tegelijk meldt de Vereniging Eigen Huis dat ook het aantal gedwongen verkopen en ontruimingen als gevolg van hypotheekachterstanden groeit (zie ook BKR). Een deel van deze mensen vindt, al dan niet tijdelijk, een veilig heenkomen binnen het eigen netwerk. De mensen voor wie dit geen optie is, raken maatschappelijk en sociaal ontworteld; een psychisch belastende ervaring. Wat betekent het bijvoorbeeld voor kinderen dat zij als gevolg van een ontruiming een jaar of langer in de maatschappelijke opvang moeten verblijven? Gesteld dat ze niet 'in handen' van jeugdzorg belanden, tenminste. Ze moeten naar een andere school, weg uit hun vertrouwde buurt; de ouders zitten flink in de stress, wat regelmatig tot huiselijke spanningen en zelfs mishandeling leidt. Of neem ouderen – zij komen op hun zeventigste op straat terecht en mogen de opvang niet in omdat dit 'voor u echt geen geschikte omgeving is'. Maar waar dan wel heen?

Op deze vraag hebben wij meestal ook geen concreet antwoord, en regelmatig starten we dan als ultieme poging een twittercampagne (@huisuitzetting) en/of schakelen we de (lokale) media in. Keer op keer blijkt dat openbaarheid werkt; kennelijk generen de betrokken politici en professionals zich toch als de menselijke ellende die zich onder hun verantwoordelijkheid afspeelt, of dreigt af te spelen, openbaar wordt gemaakt. Toen het aantal huisuitzettingen wegens schulden in Rotterdam de pan uit rees, twitterden we dit openlijk aan wethouder Marco Florijn, een van de zich op Twitter nadrukkelijk profilerende bestuurders. Al snel ontvingen we van hem een 'private message' terug: of we misschien via de mail contact wilden opnemen zodat hij kon kijken of hij iets zou kunnen betekenen. Bij Vestia reageerde de afdeling 'corporate communication' binnen

tien minuten op ons twitterbericht dat zij een gezin met kinderen zouden gaan
ontruimen. 'Kunnen wij misschien

.... kan het, na vragen van journalisten, gebeuren dat
de schuldhulpverlener die de melder eerder heenzond met het bericht 'helaas
kunnen wij niets meer voor u betekenen' de betreffende klant alsnog ten kantore
uitnodigt om nog eens goed te kijken of 'we misschien toch nog iets voor u kunnen betekenen'. Veelzeggend en ontluisterend.

Het zijn geen uitzonderingen

Ik ben 62, alleenstaand, zonder familie en vrienden. Mijn enige maatje is
een hondje, Uitkering 850 euro. Ik werkte wat bij (heel weinig) waar ze
achter kwamen en toen is uitkering ingehouden. 3 mnd geen huur kunnen betalen en nu moet ik huis uit. Ik heb niemand die mij kan helpen
met inpakken en ik kan het niet. Heel huis is teveel in mn eentje. Ik heb
hartklachten, ben zwaar depressief en zie het leven niet meer zitten. Wil
van het dak springen. WAT moet ik doen. Staan 4 dozen ingepakt en
als ik denk aan een heel huis, dat kan ik niet maar wat moet ik anders?
Ik heb EEN dochter waar ik het niet mee kan vinden maar gelukkig
neemt zij me even in haar huis. Dit zal niet gezellig worden maar er IS
die eerste opvang. Ik wil niet in een opvanghuis. AUB helpt u mij? Ze
kunnen een vrouw van 62 dit toch niet aan doen? Heb nog steeds geen
geld, ze zijn aan het uitrekenen hoeveel ik hun moet betalen maar juist
DAAROM moet ik mn huis uit!!! Voel me ellendig want ik heb ook
geen vrienden dus ik ben nu echt alleen zonder eigen spullen meer en
huil nu... wie helpt mij snel??????????

Velen denken dat de mensen die in problematische schuldsituaties belanden uitzonderingen zijn. Bij hen is op meerdere terreinen tegelijk, door een toevallige samenloop van omstandigheden, iets flink misgegaan. Maar dat geldt niet voor de grote massa: wie zijn zaken op orde heeft, kan dit niet overkomen. We hebben in Nederland immers een goed vangnet waarvoor iedereen in aanmerking komt, zo is de gedachte. Wij zien dat dit steeds minder klopt; dat gesloten vangnet bestaat vooral nog in theorie. In de praktijk vallen er in hoog tempo steeds grotere gaten. Oorzaak hiervan is vooral conflicterende wet- en regelgeving; de bureaucratische systemen werken zozeer langs elkaar heen en zijn onderling dusdanig niet te verenigen dat ernstige problemen onvermijdelijk zijn. Aan de ene kant zijn er de loonbeslagen, bronheffingen, terugvorderingen, trage systemen, verrekeningen en wachttijden; aan de andere kant staan de dure juridische procedures, bijkomende kosten, voorwaarden voor hulpverlening, verkokerde organisaties en het eeuwige hameren op de eigen verantwoordelijkheid. Hoe je ook je best doet of zou willen doen om je gedrag te veranderen; eenmaal in de fuik beland, is er nauwelijks een weg terug.

Zo communiceerde ik een tijdje per mail met een wethouder van een middelgrote stad. Zijn afdeling sociale zaken stopte de uitkering van een mevrouw die vanwege (niet bij hen bekende) omstandigheden van huiselijk geweld haar maandelijkse 'rofje' – rechtmatigheidsonderzoeksformulier – niet tijdig inleverde. Voor de heraanvraag van de uitkering moest zij de hele procedure opnieuw doorlopen: weer alle bescheiden verzamelen en inleveren (inclusief een niet-kosteloze actuele BKR-verklaring), gesprekken voeren, wachttijd doorstaan en een sollicitatietraining volgen. Vanwege het ontbreken van geld voor openbaar vervoer en het niet bezitten van een fiets overbrugde zij de afstand naar de naburige stad, waar deze training gegeven werd, te voet. Twee uur heen en twee uur terug. Ze vertelde dat ze dit deed zonder iets te eten en dat tijdens de trainingsdagen helaas geen lunch werd verstrekt. Het eten dat er nog was, gaf ze haar twaalfjarige zoon mee naar school: 'Hij mag er niet onder lijden!' Met veel moeite en hulp van een lokaal gemeenteraadslid lukte het om 'bij hoge uitzondering' een pakket van de lokale voedselbank los te peuteren; eigenlijk zou mevrouw ook hier eerst een uitgebreide aanvraagprocedure moeten doorlopen. Het heeft ons en het betrokken gemeenteraadslid daarna veel tijd en overtuigingskracht gekost om de lokale maatschappelijke dienstverlening zo ver te krijgen dat zij zich echt in de penibele

situatie van deze mevrouw gingen verdiepen. De betreffende wethouder hebben
we de vraag voorgelegd of [...]

[...] bestuurlijk verantwoordelijken, hun complexe en tijdrovende
dossiers doorsluizen naar 'beschermingsbewind'. Deze vorm van bewind vraagt
een uitspraak van de kantonrechter; deze stelt een beschermingsbewindvoerder
aan die verantwoording aflegt aan de kantonrechter. Beschermingsbewind was
oorspronkelijk vooral bedoeld voor mensen die vanwege psychische problemen
of verstandelijke uitdagingen niet in staat zijn om zelf hun financiën te beheren,
maar in toenemende mate worden ook mensen van wie financiën en administratie een puinhoop zijn ('chronisch onverantwoord financieel beheer') onder
beschermingsbewind geplaatst. Dit moet weliswaar uitgesproken worden door
de kantonrechter, maar de rekening komt meestal weer bij de gemeente terecht.

Geen weg terug en een badinerende toon

Dreigende ontruiming. Had een brief geschreven, dit zou door mijn
My werker (maatschappelijk werker, red.) gedaan worden maar die
heeft dat dus niet gedaan, gevolg is dat ik 11 maart toch gedagvaard ben.
Heb vanochtend een brief gebracht naar de deurwaarder met de reden
van mijn achterstand. Mevrouw vertelde dat de brief meegenomen zou
worden en dat ik of nu alles moet betalen, of moet wachten op vonnis
van de rechter. Volgens het Juridisch loket ziet het er slecht uit voor mij.
Ben ten einde raad dat is begrijpelijk, meer vanwege mijn kids dan voor
mezelf, ik moet dit op zien te lossen. Heb dit ook duidelijk aangegeven
in de brief. Hoop dat jullie tips hebben voor wat ik o.a. tegen de rechter
kan zeggen.

Een groot deel van het 'spel' binnen de schuldhulpindustrie bestaat eruit dat schuldeisers proberen een zo groot mogelijk deel van hun uitstaande gelden binnen te (laten) halen. Dit doen zij door beslag te laten leggen op loon, tegoeden of goederen, door een volmacht (akte van cessie) te laten tekenen, door dwingende afspraken te maken, door de druk op te voeren waardoor mensen bij vrienden of familie geld lenen of door zichzelf een preferente positie in de rij van schuldeisers toe te kennen. Waarbij dat laatste vanzelfsprekend is voorbehouden aan de overheid, die daarvan de laatste jaren kwistig gebruik heeft gemaakt.

Maar de voorkeurspositie die de overheid zichzelf en aan haar gelieerde organen zoals het College voor Zorgverzekeringen – sinds 1 april 2014 Zorginstituut Nederland genoemd – als schuldeiser heeft toebedeeld en zelfs verplichtend oplegt, heeft een contraproductieve werking. Directe inhouding van 'ten onrechte' ontvangen uitkeringen of toeslagen, loonbeslag inclusief straf maken sluitende schuldenregelingen moeilijk of onmogelijk. De commissie-Boorsma – ontwerper van de 'moderne' integrale schuldhulpverlening – wees er precies twintig jaar geleden al op: de bevoorrechte positie van de overheid als schuldeiser is een belangrijke oorzaak van het steeds minder effectief worden van de integrale schuldhulpverlening. Recent toonde Jungmann c.s. (2012) de actualiteit hiervan aan met het in opdracht van de Koninklijke Beroepsorganisatie van Deurwaarders (KBvD) gerealiseerde rapport *Paritas passé*. De bevoorrechte positie van overheidsorganen heeft overigens ook een indirect effect: woningcorporaties en andere verhuurders staan in de rij van schuldeisers achteraan, terwijl hun aandeel in de achterstallige betalingen vaak aanzienlijk is. Ze beseffen dat zij bij een schuldenregeling het overgrote deel hiervan zullen moeten afschrijven. Dat leidt ertoe dat ze steeds moeizamer akkoord gaan met uitstel van ontruimingen of het stopzetten van procedures, of dat ze van hulp- en dienstverleners eisen dat zij de achterstallige huur 'ophalen' uit de bijzondere bijstand of aanvragen bij noodfondsen. Letterlijk krijgen wij soms te horen: 'Wij moeten die extra twee miljard aan Den Haag ook ergens van betalen...'

Nogmaals: voor wie eenmaal in de fuik is beland, is er bijna geen weg meer terug – incassokosten, bronheffingen, boetes zoals de 30 procent extra bij het achterlopen met de zorgpremie, boeterente, deurwaarderskosten, strafkortingen van uitkerende instanties, eigen bijdrages, invorderingskosten. De financiële straffen en maatregelen stapelen zich onherroepelijk op, terwijl de ellende nou juist begon met – toen nog – redelijk overzienbare en in principe repareerbare

...ving met eens meer het minimumloon wil betalen. De moraliserende boodschap is dat wie een uitkering ontvangt hier dankbaar voor moet zijn en zich vooral schuldig moet voelen voor zijn afhankelijkheid. En wees blij dat je – verplicht – wat terug kan doen! De onderliggende boodschap luidt: als je echt zou willen, heb je geen uitkering nodig. Maar als je eenmaal in een schuldsaneringstraject zit en aankondigt dat je bijvoorbeeld via uitzendbureaus wilt gaan werken omdat je graag je eigen geld verdient, wordt dit afgeraden of zelfs verboden. Een schuldhulptraject kan alleen goed worden afgerond als er sprake is van een stabiel inkomen... Daarom ook krijgen zelfstandigen met financiële problemen die zich bij de schuldhulpverlening melden de opdracht om hun bedrijf te beëindigen, zich uit te schrijven bij de Kamer van Koophandel, hun jaarrekening op orde te brengen en daarna weer terug te komen.

Van mensen die zich tot ons meldpunt wenden, horen we geregeld dat zij zich in hun ellende eindelijk bij de schuldhulpverlening durven melden en dan niet zelden op een voor hen zeer onplezierige wijze tegemoet worden getreden. Hun wordt iets gezegd in de trant van: 'Nou, nou, u hebt er wel een puinhoop van gemaakt zeg.' Waarna met een zucht de hand wordt uitgestoken om de spreekwoordelijke plastic tas met ongeopende en ongeordende post in ontvangst te nemen. En dan de verbijsterde blik als er vervolgens een ordner wordt aangereikt met daarin alle bescheiden keurig opgeborgen. Zo spreken we regelmatig mensen die voor geen prijs meer naar de lokale schuldhulpverlening terug willen. Ze voelen zich gekleineerd en passen ervoor om dit weer mee te maken. Vaak gaat het om mensen die lang in loondienst hebben gewerkt of een eigen bedrijf hebben gehad. De toon waarop onze overheid, vaak verpersoonlijkt door politici, over mensen met schulden en/of uitkeringen communiceert, werkt de badinerende manier waarmee hulp- en dienstverleners hun klanten soms benaderen in de hand. En de dwingende systeemwerkelijkheid van waaruit zij moeten werken, doet hier nog een schepje bovenop. De schuldenaren, armen, afhankelijken en tijdelijk mislukten worden gestraft voor de situatie waarin zij zijn beland. Wie oprecht voor de inclusieve participatiesamenleving gaat, pakt dat anders aan.

Hoe dan wel?

Ik heb huur achterstand en heb een betalings regeling gevraagd van 400 euro plus daarnaast mijn huur van 600 euro dat is totaal 1000 euro ik krijg van gemeente 961 uitkering. Ik heb de aflossing betaald en de huur niet op tijd betaald maar wel later voldaan. Ik was blij met de regeling en heb de brief niet volledig gelezen. En heb het stuk gemist dat als ik mijn huur niet op tijd betaald dat het regeling komt te vervalen. Op moment dat ik in de gaten had dat ik 150 euro miste om de huur te betalen heb ik de woningbouw gebeld en door gegeven. Maar niet de incasso bureau. En nu zit ik in een probleem die ik graag wil verkomen. Ik heb sinds kort een baantje voor paar uren in de week en weet 100 procent zeker dat ik mijn schuld kan aflossen en mijn huur te betalen. Willen jullie mij aub helpen om te verkomen dat ik uit gezet gaat worden.

Armoede en schuld anders aanpakken – ja, maar hoe? Minder bevoogdend, bestraffend en kleinerend en vooral meer ondersteunend, emanciperend en 'empowerend'. Meer bij de mensen zelf laten, ook concrete verantwoordelijkheden. Stoppen met alles overnemen, en mensen daarentegen actief ondersteunen bij het opruimen van hun eigen financiële en soms sociale puinhopen. Onder invloed van de Wet maatschappelijke ondersteuning en Welzijn Nieuwe Stijl wordt steeds meer van burgers en hun sociale netwerken verwacht, maar gek genoeg is dit op het gebied van armoede en schuld nog nauwelijks het geval. Er zijn weliswaar 'sorteergroepen' waar je leert je administratie te doen, cursussen 'uitkomen met inkomen' of klassen waarin mensen samen leren om met weinig geld boodschappen te doen. Maar de feitelijke schuldenregelingen, saneringstrajecten en ook het inkomensbeheer zijn stevig in handen van professionals. De schuldenaren kunnen dit slechts lijdzaam ondergaan; zij worden er zelf niet in betrokken. De belangrijkste oorzaak hiervan is dat de wereld van de materiële dienstverlening

[tekst onleesbaar]

...ond armoede en schulden is ontstaan weer zal inkrimpen in plaats van in hoog tempo door te groeien, zoals momenteel het geval is.

De mensen dus meer zelf laten doen en hen daarbij goed ondersteunen. Ook in de materiële hulp- en dienstverlening moet de menselijke maat weer leidend worden. Momenteel heeft een schuldenaar zelf geen zeggenschap meer als een schuldhulpverlener diegene naar inkomensbeheer verwijst. Alles wordt de betrokkene direct uit handen genomen; de schuldenaar voelt zich handelingsonbekwaam en wordt ook zo behandeld. Wie voor de verjaardag van zijn kind een extra tientje nodig heeft, moet bij veel inkomensbeheerders eindeloos bellen en kan er dan om verzoeken. Of smeken. En dan is het maar afwachten of de inkomensbeheerder vindt dat dat extra bedrag beschikbaar is: 'Ik zal er vanmiddag even naar kijken.' Afhankelijker is niet mogelijk. Als klap op de vuurpijl krijgt de schuldenaar na afloop van het saneringstraject de verantwoordelijkheid weer volledig naar zich toegeschoven en moet hij alles weer helemaal zelf gaan doen. En dan zijn we verbaasd over het hoge percentage 'recidive'.

Anders dan vaak wordt gedacht, is het goed mogelijk dat mensen hun eigen inkomsten blijven beheren. Er bestaan al jaren kasboekachtige digitale programma's waarin een schuldenaar zijn bankrekening kan laden en waar hij een derde persoon kan uitnodigen om digitaal met hem mee te kijken. Dat kan een professionele ondersteuner zijn of een vrijwilliger, bijvoorbeeld iemand uit zijn sociale netwerk. Zo houdt de schuldenaar de verantwoordelijkheid, maar kan deze over financiële keuzes intensief overleggen met degene die hem ondersteunt. Hierover zijn natuurlijk sluitende afspraken te maken, maar de uitvoering ervan is in handen van de 'probleemeigenaar'. Zo ligt de verantwoordelijkheid daar waar deze hoort en in strikt juridische zin ook altijd ligt: bij de schuldenaar zelf.

De ondersteuner kijkt mee en adviseert, maar signaleert ook wanneer er minder slimme dingen worden gedaan of het inkomen uitblijft of veel te laag is. Dan kan hij de schuldenaar adviseren dit te delen met de schuldeisers met wie afspraken zijn gemaakt om hierover in overleg te treden. Met behulp van een dergelijke manier van begeleid financieel zelfbeheer kunnen gemeenten al flink wat toeloop naar de meer formele schuldhulpverleningstrajecten en de Wsnp opvangen en afbuigen. Op dit moment komt iedereen nog bij de schuldhulpverlening terecht, ook mensen die het met meer ondersteuning goed zelf zouden kunnen; er bestaat nog niets tussen volledig zelfbeheer en zware schuldhulpverlening, schulden-stabilisering of de Wsnp.

Wie eenmaal grip heeft op zijn dagelijkse financiën kan ook weer zelf zijn betalingsachterstanden gaan aanpakken. Een belangrijke voorwaarde is wel dat schuldeisers meer bereidheid tonen om hierover met schuldenaren in gesprek te gaan en afspraken te maken. Zij moeten erop willen vertrouwen dat mensen oprecht willen werken aan hun financiële gedragsverandering en dit positief benaderen en ondersteunen, bijvoorbeeld door (financieel) bij te dragen aan de ondersteuning. Daarvoor moeten zij het vaak gehanteerde principe loslaten dat 'wij alleen afspraken maken met professionals'. Ook moeten ze af van de gedachte dat alleen steeds indringender en strengere incassomaatregelen uiteindelijk tot resultaat leiden.

Stichting Eropaf! ontwikkelt momenteel een digitaal platform met behulp waarvan we mensen intensief ondersteuning gaan bieden om weer grip te krijgen op hun financiën en het zelf regelen van hun achterstanden en schulden. Daar-voor gaan we ook ondersteuners opleiden en trainen. Met dit platform zullen we voorzichtig experimenteren en ervaring opdoen; we kiezen bewust voor 'slow development'. We hopen en verwachten dat het in 2015 ruim – landelijk – beschikbaar komt.

> Ik kan mijn huurachterstand door mijn financiële situatie niet voldoen. Ik heb hiervoor hulp nodig. Het vonnis is al bij verstek toegewezen en donderdag zes maart word de uitspraak gedaan. Ik zit in een uitzichtloze situatie en voel me doodziek.
>
> Ik hoop dat het nog te voorkomen is. Ik heb inkomen. Niet heel erg veel op het moment maar genoeg om aan al mijn betalingsverplichtingen

te komen. Alleen de schuld die ik nu heb opgebouwd trekt me naar

[...] bij met en van elkaar kunnen leren. Wie dit echt niet kan of wil, kan niet bij dit platform terecht; dan zijn er mogelijk zwaardere middelen nodig als beschermingsbewind of *top-down*-saneringstrajecten. Met behulp van dit platform beheert de schuldenaar zelf zijn inkomen en maakt hij zelf afspraken met schuldeisers en doet hij regelmatig zelf verslag van zijn vorderingen. Eigenlijk doet hij alles zelf: de ondersteuner moedigt aan, geeft tips, reikt ideeën aan, kijkt mee en tikt zo nodig op de vingers. Wie bijvoorbeeld afspreekt om uiterlijk op zondagavond de 31e de huur van de komende maand te hebben overgemaakt en dit nalaat, kan op diezelfde zondagavond een telefoontje of sms van zijn ondersteuner verwachten: 'We hadden toch iets afgesproken?'

Op deze manier werken we vanaf de eerste dag aan gedragsverandering, maar zonder mensen eerst langere tijd alles uit handen te nemen. Zo is het mogelijk te leren vooruit te kijken en een planning te maken; daarop richten we het hele digitale platform in. Zo is het ook veel minder vaak nodig om de gang naar het kantoor van de hulpverlener te maken; het ondersteunende contact verloopt voornamelijk via mail, Skype, sms en telefoon.

Een belangrijk onderdeel van onze werkwijze is dat we van de kant van de opdrachtgevers, gemeenten, verhuurders of werkgevers ook een aanspreekbaar individu verwachten. Als we weer meer naar de menselijke maat willen, dan moet dit van twee kanten komen. Zo kan een schuldenaar direct in gesprek met zijn 'accountmanager' bij de organisatie die deze ondersteuning voor hem inkoopt en is hij niet afhankelijk van een anonieme, niet persoonlijk aanspreekbare organisatie.

Niet straffen maar duurzaam behoeden

Er dreigt een uithuisplaatsing moet binnen 5 dagen 4000 euro neerleggen wat ik niet heb mijn vrouw is net bevallen van ons 3e kindje en ligt nu weer in het ziekenhuis ivm longembolie ik weet nu niet meer wat ik moet doen help.

Maar we kunnen nog veel verder gaan. We staan aan het begin van een tijdperk waarin we weer een heleboel zaken zelf gaan doen en de menselijke maat weer steeds belangrijker wordt. Kleine energiecoöperaties, zorgcoöperaties, stadsdorpen, kredietunies, broodfondsen, een nieuwe coöperatieve bank, allerlei sociale en maatschappelijke ondernemingen – de innovatieve initiatieven buitelen over elkaar heen. Dat kan ook in de industrie van armoede en schuld. Wat bijvoorbeeld te denken van een coöperatieve bank die haar leden intensieve ondersteuning biedt bij het voeren van een gezond financieel beleid? En dan bedoel ik natuurlijk niet – zoals in het recente verleden – dat er onder het mom van 'gezond financieel beleid' zo veel mogelijk bedenkelijke financiële producten worden verkocht, vooral ten dienste van de winstmaximalisatie van de aandeelhouders en bestuurders van de bank. Of zoals momenteel gebeurt, waardoor vrijwel niemand meer een hypotheek kan krijgen. Een bank waarin traditionele bancaire zaken zoals het voorzien in een betaalrekening met bankpas gecombineerd worden met meer eerlijke ondersteuning en coaching. Waarbij bancaire en maatschappelijk verantwoorde ondersteuning bij het zelfbeheer van iemands inkomen met elkaar verenigd zijn. Niet verplicht voor iedereen, maar voor wie hier prijs op stelt.

Tot slot: het is niet mijn opvatting dat schuldenaren altijd slachtoffer en schuldeisers altijd dader zijn, zo simpel is het niet. Evenmin denk ik dat alle schuldhulpverleners, medewerkers van uitkeringsinstanties en andere functionarissen arrogant zijn en hun cliënten neerbuigend of afwijzend tegemoet treden. De meesten doen hun werk naar eer en geweten en met goede intenties, daar twijfel ik niet aan. Het gaat mij om de effecten van de onderliggende systemen, vooral in hun samenhang bekeken.

Hoewel het best zou kunnen helpen als de uitvoerders van de verschillende systemen zich – gezamenlijk – wat vaker afvragen waar zij onderdeel van zijn en of dit overeenstemt met het beeld dat zij hebben van hun vak. Op congressen,

bij. Want ook de schuldhulpverlening en materiële dienstverlening zijn hard aan een cultuurverandering toe, zoals die in de hele sociale sector gaande is. Met hier en daar bijstellen, verfijnen, wijzigen of toegankelijker maken, komen we er echt niet meer. Gedurfde en principiële keuzes zijn vereist, zoals het onverwijld bestraffen van het verlenen van te grote kredieten door de onderliggende overeenkomst ongeldig (nietig) te verklaren. Dan passen kredietverleners vanzelf beter op hun tellen en nemen zij hun zorgplicht nog beter op dan ze al doen. We moeten de stress waarmee armoede en schulden gepaard gaan veel serieuzer nemen. De laatste tijd wordt steeds duidelijker welke vreemde en onbegrijpelijke keuzes mensen onder invloed van schaarstestress geneigd zijn te maken. Dat moeten we begrijpen en daar moeten we als samenleving meer op inspelen. Niet door te blijven straffen en mensen aan de schandpaal te nagelen voor het maken van 'domme' keuzes, maar door ze er duurzaam voor te behoeden. Dan zijn we als samenleving uiteindelijk zowel sociaal als materieel veel beter uit.

Een ochtend in de spreekkamer van de schuldhulpverlening.

Mevrouw De Jong is een alleenstaande moeder en ontvangt al ruim drie jaar een bijstandsuitkering. Ze heeft een schuld van ruim 12.000 euro. De enige manier om op afzienbare termijn uit de schulden te komen, is gebruik te maken van een gemeentelijke schuldregeling. Ze moet het dan samen met haar dochter drie jaar doen met 60 euro weekgeld voor boodschappen en andere dagelijkse bestedingen. Mevrouw De Jong wil graag van haar schulden af, maar ze ziet geen mogelijkheden om rond te komen van het beschikbare weekgeld. Formeel woont ze alleen met haar dochter, maar in de praktijk woont het vriendje van de dochter bij hen in. Mevrouw De Jong wil niet tegen het vriendje zeggen dat ze eigenlijk niet genoeg geld heeft om ook in zijn levensonderhoud te voorzien. Hij komt uit een gezin waar veel wordt gedronken en waar af en toe wordt gehandeld in spullen die op een criminele wijze zijn verkregen. Mevrouw De Jong heeft niet zo veel grip meer op haar dochter. Ze gaat in hoge mate haar eigen gang en mevrouw De Jong is bang dat als ze aangeeft dat het vriendje niet elke avond bij haar kan eten, haar dochter en het vriendje dan vooral bij hem gaan *chillen*.

Na mevrouw De Jong komt het echtpaar Wiardi. Ze zijn getrouwd in gemeenschap van goederen, hebben drie kinderen en hun schuld bedraagt bijna 18.000 euro. Mevrouw kan niet meer slapen van de stress en heeft maagklachten. Ze durft de deur niet meer open te doen en er is te vaak niet genoeg geld voor warm eten voor de kinderen. Meneer maakt zich niet zo druk om de situatie en is eigenlijk vooral meegekomen omdat mevrouw dat graag wil. In het intakegesprek legt de schuldhulpverlener uit dat een voorwaarde om in aanmerking te komen voor een schuldregeling is dat een auto die niet nodig is voor het woon-werkverkeer verkocht moet worden. Meneer laat direct weten dat hij de auto onder geen beding weg doet. Mevrouw is daar wel toe bereid, maar zolang ze getrouwd zijn in gemeenschap van goederen kan zij noch samen met haar man noch alleen aan een schuldregeling beginnen.

De derde klant van de ochtend is Jordan. Een begin-twintiger die bij een transportbedrijf werkte. Hij kreeg op een gegeven moment ruzie met zijn baas en het lijkt erop dat hij toen zelf op staande voet ontslag heeft genomen. Hij woont sinds kort op kamers en heeft inmiddels ruim 9.000 euro schuld opgebouwd. De woningbouwcorporatie dreigt al met een huisuitzetting. Jordan heeft een procedure tegen zijn voormalige baas lopen omdat hij van mening is dat hij niet zelf ontslag nam maar dat zijn baas hem wegstuurde. Zolang de procedure niet is afgerond, is niet duidelijk wat de inkomenspositie van Jordan is en kan er nog geen schuldregeling gestart worden.

Deze drie klanten hebben de stap gezet om een beroep te doen op de gemeentelijke schuldhulpverlening. In totaal zijn er naar schatting 1,2 miljoen huishoudens met (een serieus risico op) problematische schulden (Kerkhaert & De Ruig 2013). Hun schuldenlast is – in verhouding tot hun inkomen – zo hoog dat zij die niet of nauwelijks zelfstandig kunnen oplossen. Een gemeentelijke of wettelijke schuldregeling met een gedeeltelijke kwijtschelding is voor hen doorgaans de enige uitwegweg om op afzienbare termijn uit de financiële problemen te komen (Jungmann & Schruer 2013). In de praktijk doet echter nog niet de helft van de groep die er voor in aanmerking komt een beroep op deze voorziening (Kerkhaert & De Ruig 2013). Van de andere helft die er wel een beroep op doet, begint naar schatting slechts een derde aan een traject om met een schuldregeling schuldenvrij te worden.[1] Kortom: schuldhulpverlening is een voorziening waar veel mensen behoefte aan hebben, maar die slechts een kleine groep aan een schone lei helpt.

In dit hoofdstuk beschrijven we in welke dynamiek mensen met (problematische) schulden terechtkomen. Vervolgens wordt toegelicht waarom de schuldhulpverlening in Nederland sinds een jaar of drie voorziet in een screening op de toegang. We leggen ook uit waarom schuldhulpverlening zo vaak niet tot een schone lei leidt. We sluiten af met een warm pleidooi om te voorzien in een methodiek voor de groeiende groep mensen met onoplosbare schulden waarvoor een schuldregeling (vooralsnog) niet de oplossing is.

Bij problematische schulden raken veel mensen out of control

ue cne cicuneur om een bedrag te betalen maar doordat een andere crediteur beslag legt op het inkomen of het verschuldigde geld direct van de bankrekening afschrijft, is het onmogelijk om de eerdere afspraken na te komen. Bij een (groot) deel van de huishoudens leidt dit vervolgens tot psychologische processen die maken dat de energie en inzet om de (inmiddels) problematische schulden op te lossen, kleiner worden of zelfs verdwijnen (Mullainathan & Shafir 2013).

Door nieuwe incassobevoegdheden zakken mensen (ver) onder bijstandsniveau

In de afgelopen jaren zijn de incassobevoegdheden van tal van crediteuren uitgebreid. Vooral overheidsinstanties kregen grotere bevoegdheden, met ingrijpende gevolgen. Het belangrijkste middel dat schuldeisers hebben om een vordering te innen, is het inschakelen van een deurwaarder. Deze mag beslag leggen op het inkomen, de inboedel of roerende zaken zoals de auto. Bij beslaglegging op het inkomen vindt er een directe inhouding plaats door de werkgever of de uitkeringsinstantie. De schuldenaar houdt een bedrag over van 90 procent van de voor hem geldende bijstandsnorm. Deze norm noemen we de beslagvrije voet. Het idee is dat elk huishouden moet kunnen rondkomen van de beslagvrije voet. In de praktijk is het maar de vraag in hoeverre dat kan. Het Nibud (2014) heeft recent berekend dat een bijstandsuitkering voor bepaalde groepen, zoals huishoudens met kinderen, ontoereikend is om rond te komen zonder nieuwe schulden te maken. Als een bijstandsuitkering al ontoereikend is, dan is de 10 procent lagere beslagvrije voet dat zeker.

Beslag op het inkomen is niet het enige middel waarover crediteuren beschikken. In de afgelopen jaren kregen diverse schuldeisers nieuwe, vergaande bevoegdheden waardoor steeds meer huishoudens (ver) onder de beslagvrije voet uitkomen (Jungmann e.a. 2012; Nationale Ombudsman 2013). Bijvoorbeeld:

» Als je zes maanden je ziektekostenpremie niet hebt betaald, wordt je premie plus een opslag van 30 procent maandelijks door het Zorginstituut ingehouden op je inkomen.

» De Belastingdienst, waterschappen, gemeenten en het Centraal Justitieel Incassobureau mogen onder bepaalde omstandigheden een vordering direct van je rekening afschrijven.

» Als je eerder te veel huur-, kinder- of zorgtoeslag uitgekeerd hebt gekregen, verrekent de Belastingdienst die bedragen met nieuwe toeslagen (waardoor je in de nieuwe maanden het bedrag mist dat je nodig hebt om de nieuwe termijnen huur, kinderopvang of zorgpremie te betalen).

» Als je een achterstand oploopt op een consumptief krediet dat werd verstrekt door een bank, dan kan de achterstand verrekend worden zodra het nieuwe inkomen op de betaalrekening is gestort.

Wie te maken heeft met beslag op het inkomen en bevoegdheden zoals hiervoor beschreven, is niet of nauwelijks in staat om de vaste lasten te betalen. Het lukt dan dus ook niet om betalingsregelingen voor eerdere schulden na te komen, en de schuldenlast loopt onvermijdelijk verder op.

Schulden hebben ook een psychologisch effect

Er komt steeds meer onderzoek beschikbaar dat laat zien dat mensen met problematische en steeds verder oplopende schulden in een psychologische dynamiek terechtkomen die belemmert dat ze hun financiële problemen actief gaan oplossen. Het besef dat je eigenlijk geen invloed meer hebt op je eigen financiële situatie door de verschillende incassobevoegdheden, de dagelijkse zoektocht naar hoe je de eindjes aan elkaar knoopt en het idee dat je zelf geen invloed kan uitoefenen op de oplossing, dragen bij aan een psychologisch proces dat de volgende aspecten kent (Mullainathan & Shafir 2013):

» schuldenaren worden steeds efficiënter in hun omgang met het geld dat ze wel hebben;

» er ontstaat een kortetermijnoriëntatie (leven in het nu);

» het vertrouwen in eigen kunnen neemt af;

De groei van de schuldenproblematiek is in de eerste plaats een probleem voor de mensen die het treft. De impact op het dagelijks leven is groot en de weg naar een schuldenvrije toekomst is lang. Diverse onderzoeken wijzen uit dat een groot deel van de groep die gebruikmaakt van schuldhulpverlening ook andere vormen van hulp aanwendt, zoals maatschappelijk werk, verslavingszorg en ggz (Jungmann & Van Geuns 2011; Stavenuiter & Nederland 2014).

Naast een privéprobleem vormen schulden ook steeds meer een maatschappelijk vraagstuk. Crediteuren krijgen niet betaald en behalen daardoor slechtere bedrijfsresultaten. Onderzoek wijst ook op verbanden tussen enerzijds schulden en anderzijds langduriger uitkeringsafhankelijkheid (Jungmann & Van Geuns 2011), een hoger ziekteverzuim bij werkenden (Brink e.a. 2013; Madern, Bos & Van den Burg 2012) en de kans op criminaliteit en recidive (Hoeve e.a. 2011).

Zowel voor het individu als voor de maatschappij is het dus van groot belang dat problematische schulden niet verder oplopen (en bij voorkeur worden opgelost). Een beroep op de schuldhulpverlening is daarvoor de logische weg.

Gemeenten zijn gaan screenen bij de toegang van de schuldhulpverlening

Wie besluit om een beroep te doen op de schuldhulpverlening, moet zich in Nederland tot de gemeente wenden. In de Wet gemeentelijke schuldhulpverlening (Wgs) – in werking getreden op 1 juli 2012 – is vastgelegd dat gemeenten de verantwoordelijkheid hebben om schuldhulp aan hun burgers aan te bieden (Jungmann & Schruer 2013). Voor deze datum boden de meeste gemeenten wel schuldhulpverlening aan, maar daartoe waren ze niet verplicht. Sinds de invoering van de wet hebben zij ruime vrijheid om te bepalen hoe zij de schuldhulp inrichten. De uitvoering is soms bij een (gemeentelijke) kredietbank of sociale dienst gelegd en in andere gevallen bij de maatschappelijke dienstverlening of een commerciële partij. Gemeenten hebben ook ruime bevoegdheden om te bepalen onder welke voorwaarden er wordt geprobeerd een schuldregeling met kwijtschelding te treffen.

Een in 2012 door de Hogeschool Utrecht uitgevoerde analyse van ongeveer 150 beleidsplannen laat zien dat het overgrote deel van de gemeenten hun bevoegdheid hebben gebruikt om in het lokale beleidsplan op te nemen dat niet iedereen zomaar wordt doorgestuurd naar een traject om een schuldregeling te treffen (Jungmann 2012). De uitvoerende organisatie heeft dan de opdracht in kaart te brengen of er belemmeringen zijn een driejarige schuldregeling met succes te starten en te doorlopen en zodoende kandidaten te screenen voor een schuldhulptraject.

De belemmeringen kennen twee vormen. Ze zijn technisch van aard of ze liggen meer op het vlak van de motivatie en vaardigheden van de schuldenaar.

Technische belemmeringen kunnen juridische overwegingen zijn, bijvoorbeeld een nog betwiste vordering, het ontbreken van inkomen als gevolg van een geschil met een werkgever of uitkeringsinstantie of een nog niet uitgesproken scheiding bij een huwelijk in gemeenschap van goederen. Het gemeenschappelijke in deze situaties is dat het nog niet mogelijk is om vast te stellen hoe hoog de schuldenlast is.

Bij belemmeringen in de sfeer van motivatie en vaardigheden van de schuldenaar gaat de gemeente of haar uitvoerder na of iemand naar verwachting vanaf het moment van de intake geen nieuwe schulden maakt, of hij of zij het voor elkaar krijgt om gedurende de schuldregeling rond te komen van een inkomen net onder de bijstandsnorm en bereid is om aan een aantal eisen te voldoen. De meest gestelde eisen zijn dat mensen hun administratie op orde brengen, afzien van een auto die niet nodig is voor woon-werkverkeer, rondkomen van weekgeld van 50 tot 90 euro en/of hard(er) gaan zoeken naar betaald werk. Deze eisen klinken misschien niet zo ingewikkeld, maar voor een grote groep schuldenaren die een beroep doet op de schuldhulpverlening zijn deze te hoog gegrepen. Zij willen of kunnen er niet aan voldoen (Van Geuns, Jungmann & De Weerd 2011).

De niet-willers of niet-kunners zijn grofweg in drie groepen te onderscheiden. Er is een groep die niet de vaardigheden heeft om de administratie op orde te brengen en daarvoor vanuit zorgmijdend gedrag ook geen hulp zoekt. De tweede groep

betreft mensen die

van de verschillende groepen kunnen verenigd zijn in één individu.

Overwegingen voor de herinrichting van de schuldhulpverlening

Gemeenten kennen verschillende overwegingen om de schuldhulpverlening de afgelopen drie tot vier jaar anders in te richten. Aan het invoeren van een screening om te bepalen wie wordt doorverwezen, lagen twee redenen ten grondslag.

Ten eerste vonden steeds meer gemeenten het belangrijk een groter beroep te doen op de eigen verantwoordelijkheid van burgers. Duidelijk werd dat het in de dagelijkse praktijk van de spreekkamer te vaak voorkwam dat mensen hun administratie niet op orde hadden of brachten, maar dat zij wel verwachtten dat de schuldhulpverlener alles zou regelen. Door strengere eisen aan de toegang te stellen, geven gemeenten uiting aan de verwachting dat een inwoner met schulden zich ook zelf inzet om uit de problemen te komen.

Een tweede reden voor de screening was dat gemeenten flink moesten bezuinigen en tegelijkertijd steeds meer schuldenaren moesten bedienen. Over de periode 2008-2013 is het aantal aanvragen voor schuldhulpverlening ruim verdubbeld (NVVK 2014). In diezelfde periode is het budget voor schuldhulpverlening in veel gemeenten met een kwart tot een derde afgenomen. Om te beginnen door kortingen op het gemeentefonds, waarop lokale overheden voor dit beleid een beroep moeten doen. Daarnaast liepen per 1 januari 2012 de tijdelijke middelen voor armoede en schuldenbeleid af. In de periode 2009-2011 kregen gemeenten 300 miljoen extra voor deze velden om de eerste en – naar toen werd vermoed – ergste gevolgen van de economische crisis op te vangen. Toen de middelen per 1 januari 2012 wegvielen, was de groei van de schuldenproblematiek nog niet ten einde.

Een groeiende groep met onoplosbare schulden

De introductie van een screening heeft bij veel gemeenten inzichtelijk gemaakt dat er een grote groep schuldenaren is die er niet toe bereid of in staat is zich aan de voorwaarden te houden. Voorheen stroomde deze groep wel in een traject in, om op latere momenten echter weer uit te vallen. Door te screenen op juridische belemmeringen en relevante houdingsaspecten (zie ook hoofdstuk 8), staan gemeenten voor de vraag wat zij deze niet-willers of -kunners wel bieden.

De strategieën verschillen sterk. Er zijn gemeenten die een heel strakke screening hebben ingevoerd. Als iemand niet voldoet aan de voorwaarden voor een traject schuldregeling, volgt een afwijzing en wellicht een verwijzing naar het maatschappelijk werk. Er zijn ook gemeenten die uitgebreidere ondersteuning aanbieden, variërend van budgetbeheer om de financiën te stabiliseren en verwijzingen naar beschermingsbewind tot budgetcoaching in groepen of ondersteuning door vrijwilligers. Hoe gemeenten het ook georganiseerd hebben, in alle gevallen zien de schuldhulpverleners en andere betrokken professionals en vrijwilligers zich geconfronteerd met twee belangrijke complicaties.

De eerste is dat het als gevolg van de toegenomen incassobevoegdheden nauwelijks mogelijk is om de financiële situatie van mensen met veel schulden stabiel te krijgen. Als de ene crediteur net bereid is om een verrekening stop te zetten omdat iemand onder de beslagvrije voet zakt, dan meldt zich wel weer een volgende die met een andere incassohandeling de schuldenaar wederom klemzet. Er is dan toch weer te weinig geld voor de vaste lasten, waardoor de schuldenaar het risico loopt op afsluiting van gas, elektriciteit of water of huisuitzetting. Kiest de schuldenaar ervoor de vaste lasten koste wat het kost te blijven betalen, dan ontstaan er onvermijdelijk andere nieuwe schulden, wat ook weer een reden is om vooralsnog uitgesloten te blijven van schuldhulpverlening.

De tweede complicatie is dat het te vaak ondoenlijk is om mensen te motiveren actief met hun administratie en schuldsituatie aan de slag te gaan als ze er geen idee van hebben wat en op welke termijn hun dat iets kan opleveren. Zolang mensen elke dag bezig zijn met de vraag hoe 's avonds de kinderen warm eten te geven of hoe volgende week de huur te betalen, hebben ze in hun hoofd geen ruimte om de administratie te ordenen of andere zaken op te pakken die noodzakelijk zijn om tot een echte oplossing te komen (Mullainathan & Shafir 2013).

Gemeenten die bijhouden welk deel van de mensen direct wordt doorgestuurd naar een traject schuldregeling

...p ....g. wel weten we dat het niet erger laten worden van problematische schulden kostbaar is, gezien het arbeidsintensieve karakter ervan. In veel gemeenten is de periode dat iemand ondersteuning krijgt ook beperkt. Dit betekent dat de professional of vrijwilliger op enig moment afscheid neemt, terwijl er nog geen stabiel evenwicht is bereikt of dat evenwicht tijdelijk lijkt. Zodra er weer twee of drie schuldeisers met incassomaatregelen komen die iemand onder de beslagvrije voet duwen, leidt dit immers onvermijdelijk weer tot nieuwe schulden en daarmee tot het risico van fundamentele bestaansonzekerheid (wegvallen elektriciteit, gas, water en/of woonruimte).

Er is behoefte aan een methodiek voor onoplosbare schulden

Wie bekend is dat er zich 1,2 miljoen huishoudens in een problematische schuldsituatie bevinden of een serieuze kans hebben daarin te geraken, realiseert zich dat het van maatschappelijk belang is dat de schulden van deze mensen in ieder geval niet verder oplopen.

Een deel van de gemeenten probeert de grote groep voor wie een schuldregeling te hoog gegrepen is te stabiliseren. Schuldenaren kunnen dan bijvoorbeeld gebruikmaken van een budgetcursus bij het maatschappelijk werk of zelf met de sociaal raadslieden de huur- en of zorgtoeslag in orde maken. Als onderdeel van stabilisatie bieden steeds meer gemeenten ook vrijwillige ondersteuning. Een vrijwilliger komt dan een aantal weken bij de schuldenaar aan huis om de administratie in het gerede te krijgen. Het uiteindelijke doel van stabilisatie is dat mensen geen nieuwe schulden maken en voldoen aan de gemeentelijke eisen om gebruik te maken van een schuldregeling.

Stabilisatie brengt hoge kosten met zich mee en de effecten ervan zijn niet bekend. Het lijkt erop dat het in de huidige vorm maar voor weinig schuldenaren een echte oplossing is. Daarbij spelen twee kwesties. Ten eerste doorkruisen de incassobevoegdheden van crediteuren elke nieuw bereikte balans in de financiën. Ten tweede hecht een deel van de betreffende mensen niet altijd genoeg belang aan het oplossen van de schulden of ontbreekt het hun aan de vaardigheden daartoe. Het gevolg is dat ze nieuwe schulden maken, ook als er wel sprake is van een stabiele financiële situatie.

In de afgelopen vijf jaar is het aantal huishoudens dat een beroep doet op de schuldhulpverlening verdubbeld. Voor gemeenten is het een hele opgave om hen te voorzien van passende schuldhulp. Tegelijkertijd laat onderzoek zien dat de groep die om hulp vraagt slechts de helft omvat van de groep die eigenlijk hulp nodig heeft (en dus mede als gevolg van de toegenomen incassobevoegdheden het risico loopt van bestaansonzekerheid).

In een tijd waarin het aantal huishoudens met problematische schulden verder toeneemt, is het van groot belang dat er een maatschappelijk antwoord komt op de vraag hoe we bij mensen met problematische schulden kunnen voorkomen dat de schuldsituatie escaleert. Dat is in hun eigen belang, naast dat van leveranciers die bij het niet oplossen van de schulden in de toekomst schuldeiser worden en dat van de partijen die de gevolgen van problematische schulden voelen, zoals werkgevers dat ervaren in het hogere ziekteverzuim (Brink e.a. 2013; Madern, Bos & Van der Burg 2012).

Het is cruciaal dat een aanpak aan twee kenmerken voldoet. Enerzijds moet de werkwijze voldoende stabiliteit bieden zodat er zo min mogelijk nieuwe schulden ontstaan. De situatie moet de rust bieden die veel huishoudens nodig hebben om de schuldsituatie aan te pakken. Anderzijds moet de situatie dusdanig oncomfortabel zijn dat er een prikkel van uit blijft gaan. Het werkt niet als er stabiliteit wordt gecreëerd die zo comfortabel is dat deze niet meer motiveert tot beweging.

Het voorgaande overwegend, is een nieuwe methodiek wenselijk die minimaal voldoet aan de volgende kenmerken:

> » Een vorm van ondersteuning om het gedrag en de houding van mensen met (problematische) schulden te beïnvloeden, gebaseerd op de actuele kennis over de mogelijkheden van gedragsbeïnvloeding. Deze ondersteuning is

intensiever dan een budgetcursus van zes bijeenkomsten of begeleiding door

» De beslagvrije voet wordt een harde norm, zodat mensen met problematische schulden een minimaal niveau van bestaanszekerheid hebben. Dit is een complex maar cruciaal punt om de noodzakelijke rust en stabiliteit bij een huishouden te realiseren. Het vraagt aanpassing van diverse stukken wetgeving, dusdanig dat elke schuldeiser (ook de overheid) verplicht is de beslagvrije voet te respecteren (Jungmann e.a. 2012; Nationale Ombudsman 2013).

» Bij mensen die diep in de financiële problemen zitten, worden de verplichtingen ten aanzien van huur/hypotheek, energie, water en zorg overgenomen in de zin dat deze uitgaven automatisch worden ingehouden en doorbetaald aan de betreffende organisaties. Een belangrijk voordeel hiervan is dat er altijd een vertrekpositie van stabiliteit is om de schulden aan te pakken.

» Er komt een register waarin mensen met problematische schulden worden opgenomen, zodat leveranciers weten dat het onverstandig is om hun goederen te lenen. Dit register maakt het voor schuldenaren ook oncomfortabel. Zij kunnen geen nieuwe schulden maken. Er is weliswaar stabiliteit in wonen en leven, maar naast leefgeld voor boodschappen zijn er nauwelijks mogelijkheden om te consumeren. Wie meer wil, zal gebruik moeten maken van een schuldregeling.

De voorgaande *outline* van een nieuwe methodiek kent ongetwijfeld allerlei haken en ogen op onder meer het terrein van automatisering en privacy. Ons streven met deze schets is vooral de discussie te starten wat we wel kunnen betekenen voor de groeiende groep huishoudens die in onoplosbare problematische schulden terechtkomen en de crediteuren die daar ongewild bij betrokken zijn.

6

Wie uit de schulden wil komen, moet de tering naar de nering zetten. Dit klinkt eenvoudig. Maar voor de meeste mensen die zich melden bij schuldhulpverlening is dat een hele opgave. Bij een 'problematische schuldsituatie'[1] is de meest voor de hand liggende uitweg een driejarige schuldregeling met – aan het einde – kwijtschelding. In die periode moet de schuldenaar rondkomen van een inkomen op of net onder bijstandsniveau en mogen er geen nieuwe schulden bij komen. De budgetplaatjes van het Nibud laten zien dat dit betekent dat je jezelf alle extra's moet ontzeggen. Het huishoudboekje van gezinnen met twee kinderen met een bijstandsuitkering is eigenlijk al niet sluitend te maken (Nibud 2014). Als je dan ook nog drie jaar lang geen enkele nieuwe achterstand mag oplopen, is de opgave levensgroot. Toch laten schuldenaren dagelijks zien dat het mogelijk is tot een schone lei te komen. De eerlijkheid gebiedt echter te zeggen dat dit slechts een minderheid is van zo'n 25 procent[2] van degenen die zich met problematische schulden bij de schuldhulpverlening melden (NVVK 2013). Blijkbaar is het succesvol doorlopen van zo'n regeling niet eenvoudig.

Schuldhulpverleners lichten dagelijks schuldenaren voor over de voorwaarden waaraan zij moeten voldoen om in aanmerking te komen voor een schuldregeling. Kandidaten mogen geen nieuwe schulden maken en moeten zich houden aan de aflossingsafspraken, de administratie moet op orde zijn en inkomensondersteunende voorzieningen zoals huur- en zorgtoeslag moeten correct zijn aangevraagd en toegekend. De praktijk van alledag is dat de gesprekken in de spreekkamer niet alleen gaan over deze voorwaarden voor een schuldregeling, maar ook – of vooral – over de inspanningen van de schuldenaar. Dat mensen om schuldhulp vragen, betekent immers nog niet dat ze er ook toe bereid of in staat zijn om de auto weg te doen, minder geld uit te geven aan kleding en uitstapjes of om minder te roken. Met andere woorden: ze zijn ambivalent ten aanzien van hun eigen doelen en ambities. Het is belangrijk dat schuldhulpverleners met deze ambivalentie aan de slag gaan, omdat die de belangrijkste reden is dat mensen afhaken.

Hulpverleners richten hun aandacht nu nog vooral anderszins. We zullen hierna betogen dat dat niet zo veel oplevert. Vervolgens beschrijven we wat er zichtbaar wordt met een nieuwe blik, en wat dat schuldhulpverleners biedt die moeten verwijzen naar een 'traject schuldregeling'. Tot slot gaan we kort in op welke ondersteuning mogelijk is aan degenen voor wie een schuldregeling niet voor de hand ligt.

Waarom de houding zo belangrijk is

Maar eerst: Hoe achterhaal je of een schuldenaar ambivalent is? Het is niet nieuw om kwesties als de auto verkopen of huisdieren uit huis plaatsen in de spreekkamer van de schuldhulpverlening te bespreken. In een studie van ruim tien jaar geleden (Jungmann 2002) is dit al aangekaart, maar pas sinds een paar jaar dringt 'ambivalentie' ook door in de spreekkamer. Lang durfden politiek en uitvoerders er niet aan, en werd het gezien als de eigen verantwoordelijkheid van de burger. De 'spelregel' was ook dat schuldenaren naar een schuldregeling werden begeleid, tenzij dat technisch of juridisch niet mogelijk was. Het beleid bood dus geen ruimte om mensen op basis van gedragsaspecten 'buiten een regeling te houden', ook al was te voorzien dat zij het niet zouden volhouden.

Voorheen waren de centrale onderwerpen van gesprek in een intake financieel-technisch van aard, zoals: Wie zijn de schuldeisers? Hoe hoog is de totale schuldenlast? Wat is de juridische positie van de verschillende schuldeisers? En hoe hoog is het inkomen? Tegenwoordig kijken hulpverleners in steeds meer gemeenten ook naar relevante houdingsaspecten: In welke mate zijn mensen ertoe bereid of in staat om concessies in hun uitgavenpatroon te doen? In hoeverre voelen mensen zich slachtoffer of juist eigenaar van de situatie? Denken ze dat ze het langere tijd volhouden om van een heel laag inkomen rond te komen? Om te beoordelen of iemand gaat uitvallen, zijn zulke vragen over de houding belangrijker dan de financieel-technische gegevens over de schulden. Dit besef past in het toenemende inzicht dat omgang met geld en – in dit geval specifieker –

het maken en oplossen van schulden een gedragsvraagstuk is (Van Geuns 2013; Jungmann 2012a; Nibud 2012a; Van Geuns e.a. 2011).

Het belang van de houding is geworteld in inzichten uit onder meer de sociale psychologie en de gedragseconomie. In de jaren zeventig en tachtig was de veronderstelling binnen de wetenschap nog overwegend dat een groot deel van ons gedrag beredeneerd of gepland is (zie o.a. Fishbein & Ajzen 1975; Ajzen 1991). Als mensen zeiden dat ze schulden wilden oplossen, was het uitgangspunt dan ook dat ze zich daarvoor wilden inspannen en dat ze overzagen welke concessies dat vereiste. Met andere woorden: mensen werden beschouwd als rationeel handelende wezens die zelf wel 'de juiste conclusies trekken'. Inmiddels is echter bekend dat veel menselijk gedrag veel minder bewust of gepland is dan gedacht. Auteurs als Thaler en Sunstein (2009) en Kahneman (2011) in de Verenigde Staten en Dijksterhuis (2007), Tiemeijer e.a. (2009) en Tiemeijer (2011) in Nederland hebben laten zien wat de invloed is van onbewust en geautomatiseerd handelen. Ambivalentie is ook een normale fase bij gedragsverandering. Mensen die meer willen sporten of gezonder willen eten, doorlopen doorgaans eerst een fase van ambivalentie voordat zij hun gedrag daadwerkelijk veranderen. Vertaald naar de schuldhulpverlening is het verkennen van ambivalentie en het oplossen daarvan misschien wel het belangrijkste doel van de intake.

Dit inzicht heeft bij veel gemeenten geleid tot een herijking van de intake van de schuldhulpverlening. In de gemeentelijke beleidsplannen van rond 2012 is meestal opgenomen dat de intake een beeld moet bieden van de motivatie en vaardigheden van de schuldenaar (Jungmann 2012b), overigens vaak zonder dat die termen zijn geoperationaliseerd. Van de schuldhulpverleners wordt gevraagd om op basis van hun analyse te bepalen voor wie er geprobeerd wordt een schuldregeling te treffen en voor wie niet. De doorslaggevende factor moet daarbij zijn of de schuldenaar in kwestie de schuldregeling naar verwachting met succes afrondt.

Redenerend vanuit de relevante literatuur biedt een intake schuldhulpverlening waarin motivatie en vaardigheden in kaart worden gebracht zicht op:

» wat mensen kunnen (feitelijke vaardigheden; Madern e.a. 2012);
» wat mensen denken te kunnen (*self efficacy*; zie Bandura 1977; Van Hooft e.a. 2010);
» in welke mate mensen zelf verantwoordelijkheid nemen en zich verantwoordelijk voelen voor hun gedrag en de consequenties ervan (zelfregie of zelfregulatie; zie voor een overzicht Van Hooft e.a. 2010);
» wat de houding is ten opzichte van het feitelijk gedrag en het eventueel gewenste alternatieve gedrag, de zogenoemde subjectieve norm. Voorbeelden hiervan zijn de houding ten opzichte van werken als middel om in het eigen levensonderhoud te voorzien of ten opzichte van het al of niet aangaan van schulden (zie o.a. Fishbein & Ajzen 1975; Ajzen 1991);
» wat de directe omgeving vindt van zowel het huidige als het eventueel gewenste alternatieve gedrag en hoe gevoelig betrokkenen zijn voor deze 'sociale druk' (o.a. Fishbein & Ajzen 1975);
» de aanwezigheid van factoren in de omgeving van de betrokkene die het volhouden van deelname aan een schuldregeling kunnen ondersteunen of juist bedreigen, zoals een sterk, ondersteunend of juist 'verkeerd' sociaal netwerk;
» de aanwezigheid van ernstige, in de persoon gelegen belemmeringen of beperkingen die niet op korte termijn beïnvloedbaar zijn, zoals zwaardere verstandelijke en/of psychiatrische beperkingen en verslavingen;
» of er schulden zijn die niet in aanmerking komen voor een schuldregeling met kwijtschelding.

In de schuldhulpverlening leidt de nieuwe blik ertoe dat er aspecten zichtbaar worden die relevanter zijn voor het succesvol doorlopen van een schuldregeling.

De oude blik vertelt ons niet zo veel[3]

De oude blik was gericht op de financieel-technische kenmerken van een dossier. Dit levert een beeld op van een groep waarvoor geldt dat bijna de helft een laag inkomen heeft, waarvan de schuldenlast in verhouding tot het inkomen hoog is en waarvan bijna de helft afhankelijk is van een uitkering.

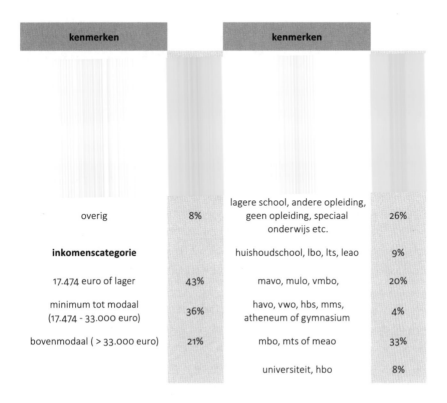

kenmerken		kenmerken	
overig	8%	lagere school, andere opleiding, geen opleiding, speciaal onderwijs etc.	26%
inkomenscategorie		huishoudschool, lbo, lts, leao	9%
17.474 euro of lager	43%	mavo, mulo, vmbo,	20%
minimum tot modaal (17.474 - 33.000 euro)	36%	havo, vwo, hbs, mms, atheneum of gymnasium	4%
bovenmodaal (> 33.000 euro)	21%	mbo, mts of meao	33%
		universiteit, hbo	8%

Tabel 1. Overzicht met kenmerken van mensen die in 2011 en 2012
om schuldhulpverlening verzochten

(Bronnen: NVVK 2012 en NVVK 2013)

Op basis van dit soort harde kenmerken laten zich drie clusters onderscheiden:

» Cluster 1 bestaat vooral uit uitkeringsgerechtigden (40 procent van het totaal). De grote meerderheid van deze groep is man (76 procent) en alleenstaand (74 procent).

» Cluster 2 bestaat uit vrouwen, meestal met kinderen (25 procent van het totaal). Zij hebben meestal geen betaald werk (70 procent) en zijn iets hoger opgeleid.

» Cluster 3 bestaat uit mensen met betaald werk (ruim 30 procent van het totaal). Dit zijn wat vaker mannen (65 procent binnen dit cluster tegenover 55 procent in de totale groep). Verder is deze groep iets jonger en iets hoger opgeleid dan de totale groep.

Het derde cluster heeft hogere schulden dan de andere; verder zijn er geen significante verschillen in het schuldenpakket. Wat betreft de hogere schulden: de mensen in dit cluster werken, hebben een hoger inkomen en kunnen dus meer krediet krijgen. Bovendien zullen mensen met een hoger inkomen zichzelf over het algemeen tot hogere uitgaven in staat achten. De samenhang is logisch, maar verklaart niet veel.

De resultaten van deze analyse bieden – helaas – geen handreiking om de kans in te schatten dat iemand met succes een driejarige schuldregeling doorloopt. Daarbij geven de kenmerken ook weinig aanknopingspunten bij het opstellen van een plan van aanpak. Ze zijn niet of nauwelijks direct beïnvloedbaar (behalve wellicht het al of niet hebben van werk) en hebben in ieder geval geen causale relatie met problematische schulden. Toch werd tot voor kort juist op basis van deze aspecten naar klanten van schuldhulpverlening gekeken.

We zijn voor de zekerheid nagegaan of er indirect toch een verband is tussen een van de drie groepen en bepaald gedrag of een specifiek element, zoals het zelfbeeld, de bereidheid te veranderen, de mogelijkheid van zelfregie en de kracht van een overtuiging. Daarvan blijkt nauwelijks sprake. Er zijn statistisch kleine verschillen in gedrag en het zelfbeeld tussen de drie clusters en het cluster van uitkeringsgerechtigden scoort iets minder op overtuigingen (zoals schulden hebben is niet normaal), maar de verschillen tussen de drie clusters zijn erg klein. Bovendien is op voorhand niet duidelijk hoe de causaliteit ligt. Waarom hebben werkenden en alleenstaande ouders (i.c. moeders) een hogere score op overtuigingen? En zijn de financiële vaardigheden van werkenden kleiner dan van alleenstaande mannen en moeders omdat ze werken (waarom dan?), of staat dit los van het hebben van werk?

Los van dat deze analyse allerlei interessante wetenschappelijke vragen oproept, luidt de belangrijkste conclusie dat de indeling van schuldenaren in deze drie clusters niet bijdraagt aan de inschatting of iemand naar verwachting met succes een schuldregeling kan of zal doorlopen.

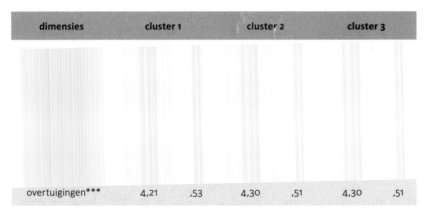

dimensies	cluster 1		cluster 2		cluster 3	
overtuigingen***	4,21	,53	4,30	,51	4,30	,51

*SD = standaarddeviatie ** verschil tussen clusters is significant: F = 3,54, p = ,029

*** verschil tussen clusters is significant: F = 3.29, p = ,038

Tabel 2. Score op gedragsdimensies naar type cliënt

(Bron: Van Geuns 2013, p. 37)

De nieuwe blik helpt ons echt een stap verder

Om de kans op een succesvol schuldregelingstraject te kunnen beoordelen, behoeven schuldhulpverleners inzicht in de motivatie en vaardigheden van de schuldenaar. In 2011 heeft het ministerie van SZW onderzoek laten uitvoeren naar die houdingsaspecten (Van Geuns e.a. 2011). Dit onderzoek vormde de aanleiding om in 2012 een methodisch screeningsinstrument schulddienstverlening (Mesis©) te ontwikkelen. Met behulp hiervan kunnen schuldhulpverleners beter beoordelen wat op het moment van de intake voor een specifieke schuldenaar het hoogst haalbare doel is. Het instrument is gebaseerd op inzichten uit de sociale psychologie en de gedragseconomie, geoperationaliseerd in zo'n honderd vragen en enkele vaardigheidstesten. Hiermee is het mogelijk in twintig tot dertig minuten een indicatie te krijgen van iemands financiële zelfredzaamheid.

Het screeningsinstrument wordt inmiddels door bijna veertig (grote en kleinere) gemeenten en schuldhulp verlenende organisaties ingezet. We geven eerst een korte beschrijving van de vier houdingsaspecten die met het instrument worden gemeten en lichten daarna toe hoe schuldenaren daarop scoren.

Vervolgens laten we zien welke clusters van mensen gevormd worden op basis van deze houdingsaspecten.

We maken daarvoor gebruik van de ingevulde screenings van mensen die zich met financiële problemen hebben gemeld bij de schuldhulpverlening in Almere en Utrecht en bij de Intergemeentelijke Sociale Dienst Bollenstreek tussen 1 januari en medio juli 2013. In totaal vulden 836 mensen het screeningsinstrument in. Door het lage taalniveau (A2) waarop de lijst is geformuleerd, heeft vrijwel iedereen die zich meldde deze ingevuld. De respons was dan ook bijzonder hoog.

In figuur 1 is de onderlinge verhouding van de vier aspecten – financieel gedrag, concessiebereidheid, verantwoordelijkheidsgevoel, overtuigingen – weergegeven.

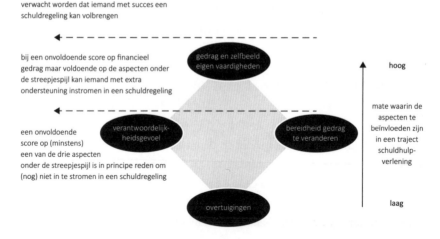

Figuur 1. De vier aspecten die samen een beeld geven van de aan- of afwezigheid van belemmeringen om tot duurzaam gezond financieel gedrag te komen en de mate waarin deze in een traject schuldhulpverlening zijn te beïnvloeden

(Bron: bewerking van Blommesteijn e.a. 2012)

Gemiddeld 'scoort' de groep die een beroep doet op de schuldhulpverlening in de
gemeenten die met Mesis werken ~~~~~~~~~~

Bij onze omgang met geld zijn *overtuigingen* een diepgeworteld sturingsmechanisme,
die in de eerste plaats bepalen of iemand met succes een schuldregeling zal volbrengen.
Schuldenaren die ervan overtuigd zijn dat het normaal is om schulden te hebben, zullen
sneller uitvallen dan degenen die vinden dat je schulden moet vermijden. En iemand
die ervan overtuigd is dat er een schuldvrije toekomst voor hem is weggelegd, heeft
ook meer kans op succes dan iemand die de overtuiging kent altijd schulden te hebben.

Voorbeelden van relevante scores op dit aspect:
> » 9 procent zegt: 'Ik moet wel schulden maken anders kan ik geen leuke dingen
>   meer doen.'
> » 6 procent zegt: 'Ik vind het normaal om schulden te maken, iedereen doet het.'
> » 15 procent zegt: 'Het geeft geen zin om te veranderen. Ik krijg toch wel schulden.'

Als de overtuigingen van iemand positief zijn ('het hebben van schulden is niet
normaal', 'mijn schulden zijn op te lossen'), dan is het vervolgens de vraag in welke
mate iemand zich verantwoordelijk voelt voor zijn schuldsituatie. Iemand die die
verantwoordelijkheid niet voelt of zichzelf ziet als slachtoffer van de omstandigheden,
dreigt eerder uit te vallen. Het nemen van verantwoordelijkheid is een belangrijke
stap om nieuw gedrag in te zetten (in dit geval drie jaar rondkomen van een heel
laag inkomen zonder nieuwe schulden te maken).

Voorbeelden van relevante scores op dit aspect:
> » 55 procent zegt: 'Ik wil mijn problemen niet meer zelf oplossen. Anderen moeten
>   dat voor mij doen.'
> » 72 procent zegt: 'Ik weet niet hoe ik nieuwe schulden kan voorkomen.'

Het oplossen of stabiliseren van een schuldsituatie is een hele opgave. Dit lukt alleen als iemand bereid is de *concessies* te doen om de uitgaven zo ver mogelijk te beperken. Dit kan bijvoorbeeld betekenen: minder uitgeven aan kleding, roken, auto, huisdieren, vakantie.

Voorbeelden van relevante scores op dit aspect:
» 79 procent zegt: 'Ik ga deze maand minder geld uitgeven aan kleding, vakantie, uitgaan of eten.'
» 60 procent zegt: 'Ik ga minder uitgeven aan hobby's. Zo kan ik mijn schulden verminderen.'
» 60 procent van de mensen die een auto of een motor hebben, zegt: 'Ik ben bereid de auto/motor te verkopen.'

Het feitelijk financieel gedrag betreft de wijze waarop mensen hun administratie bijhouden en sturen op hun uitgaven en inkomsten. Hierbij gaat het onder meer om de post openen, een budget opstellen voor de boodschappen, de vaste lasten betalen of gebruikmaken van voorzieningen zoals huur- en zorgtoeslag. De groep die alleen hierop onvoldoende scoort, is vaak murw door het voortduren van de financiële problemen of leerde nooit de administratie goed bij te houden. Met begeleiding bij de administratie, bijvoorbeeld door een vrijwilliger of iemand uit het eigen netwerk, en een goede score op de andere drie aspecten mag aangenomen worden dat deze mensen met succes een schuldregeling kunnen volbrengen. Ze vinden het hebben van schulden immers niet normaal, voelen zich verantwoordelijk om de situatie op te lossen en zijn bereid de noodzakelijke concessies te doen.

Voorbeelden van relevante scores op dit aspect:
» 78 procent zegt: 'Ik regel zelf mijn geldzaken en mijn post.'
» 62 procent zegt: 'Ik kan een overzicht maken van mijn inkomsten, uitgaven en schulden.'
» 61 procent zegt: 'Ik maak post van bijvoorbeeld de bank of het incassobureau open.'
» 55 procent zegt: 'Ik weet hoeveel geld ik elke maand kan uitgeven.'
» 53 procent zegt: 'Ik heb de afgelopen twee maanden mijn vaste lasten betaald.'
» 41 procent zegt: 'Ik houd bij waar ik mijn geld aan uitgeef. Ik schrijf het op of heb een schema op de computer.'

» 39 procent zegt: 'Er is iemand die mij kan helpen bij mijn geldzaken en mijn post.'

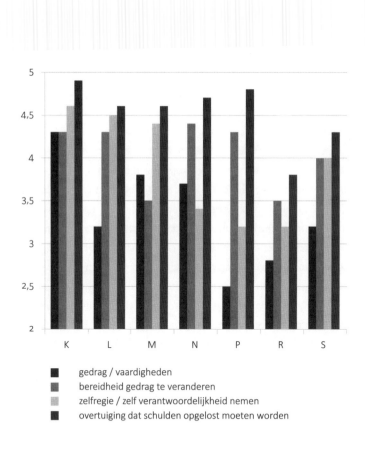

Figuur 2. Weergave van de clusteranalyse op de vier gedragsaspecten van Mesis© (n=836)

(Bron: Van Geuns 2013, p. 38)

hulpverlening melden. Daartoe worden voor alle schuldenaren scores berekend op de vier beschreven aspecten. Op basis van deze dimensies is bijna 70 procent van alle betrokkenen in te delen in één van de zeven op basis van een clusteranalyse onderscheiden groepen, de klantprofielen.[4] In figuur 2 zijn de verschillen tussen de groepen op de vier aspecten te zien.

De verschillen tussen de groepen zijn significant en hebben betrekking op de vier beschreven gedragsaspecten. Tabel 3 omvat een toelichting op de kenmerken van de verschillende profielen (clusters).

De voor de hand liggende vraag is of deze indeling meer constructieve aanknopingspunten biedt dan de eerder beschreven traditionele clusters (zie 'De oude blik kent aanzienlijke beperkingen). Daartoe kijken we enerzijds naar de vraag of de vier gedragsaspecten alsmede de clusterindeling samenhangen met de problematiek van de betrokkenen. Anderzijds kijken we naar de mate waarin deze factoren beïnvloedbaar zijn en hoe dat dan zou werken.

Alvorens ons op deze vraagstukken te richten, hebben we gekeken of er niet toch een relatie is tussen de drie eerder beschreven clusters en de zeven gepresenteerde klantprofielen. Die blijkt er niet te zijn. Wel blijkt er – zoals we zouden verwachten – een relatie te zijn tussen deze profielen c.q. karakteriseringen van gedrag en het aantal schulden, de complexiteit daarvan en of het gaat om vaste lasten. Dat die relatie er is, onderstreept echter juist het belang van gedrag als verklaring voor de aard en omvang van de schuldenproblematiek (Van Geuns 2013).

Naast een statistisch verband tussen de klantprofielindeling en de complexiteit van de schulden, blijkt er een verband te zijn tussen de individuele gedragsaspecten en de complexiteit van de schulden (zie tabel 4). Mensen met een positief zelfbeeld, vertrouwen in de eigen vaardigheden en het vermogen tot zelfregie hebben minder vaak complexe schulden. Mensen met een hogere score op de bereidheid gedrag te veranderen hebben daarentegen juist vaker complexe schulden. Er is nog geen wetenschappelijke onderbouwing voor deze samenhang. Wellicht is de verklaring dat de bereidheid groeit naarmate de consequenties van grote schulden meer gevoeld worden. De score op overtuiging hangt niet significant samen met de complexiteit van de schulden. Ook hier is er nog geen wetenschappelijke onderbouwing beschikbaar. Wellicht ontbreekt het aan samenhang doordat overtuigingen diepgeworteld zijn en niet veranderen naarmate de schuldenlast oploopt.

Klantprofiel	Toelichting
	uc nuuuzakelijke vaardigheden beschikken en het gewenste gedrag dus ook kunnen vertonen (wegnemen gebrek aan zelfvertrouwen).
M geen concessies willen doen	Schuldenaren met dit profiel zijn er gemiddeld minder toe bereid concessies te doen, terwijl ook hun feitelijk gedrag suboptimaal is. De andere twee dimensies zijn redelijk op orde. Als de concessiebereidheid positief beïnvloed wordt, mag aangenomen worden dat zij een schuldregeling met succes kunnen afronden. (Dit profiel is op de dimensies bereidheid en zelfregie de spiegel van profiel N.)
N voelen zich niet/gering verantwoordelijk voor de situatie	Schuldenaren met dit profiel hebben een lage zelfregie en ook hun feitelijk gedrag is suboptimaal. Zij voelen zich regelmatig slachtoffer van de omstandigheden en geen eigenaar van hun situatie. Zolang ze zich niet verantwoordelijk voelen voor het oplossen van de schuldsituatie, is de kans op uitval in een traject schuldregeling (te) groot. (Dit profiel is op de dimensies bereidheid en zelfregie de spiegel van profiel M.)
P lage score op gedrag en verantwoordelijkheidsgevoel	Schuldenaren met dit profiel scoren laag op feitelijk gedrag, maar ook op verantwoordelijkheidsgevoel/zelfregie. Zij voelen zich regelmatig slachtoffer van de omstandigheden. Ze voelen zich geen eigenaar van hun situatie. Zolang ze zich niet verantwoordelijk voelen voor het oplossen van de schuldsituatie, is de kans op uitval in een traject schuldregeling (te) groot.
R lage score op alles	Schuldenaren met dit profiel zijn totaal niet gemotiveerd om uit de schulden te komen. Op geen van de vier aspecten scoren ze voldoende hoog. Op een fundamenteel niveau hebben zij de overtuiging dat het hebben van schulden normaal is. De kans dat zij met succes een schuldregeling afronden, is heel klein.
S dakloosheid en/ of verslavings- problematiek	Bij het opstellen van dit cluster is niet gekeken naar de scores. Mensen die in dit profiel 'vallen' zijn dak- en thuisloos en/of cliënt bij een instelling voor verslavingszorg.

Tabel 3. Toelichting op de kenmerken van de onderscheiden klantprofielen op basis van de vier gedragsaspecten

Schuldhulpverleners en andere professionals die weten welke verbanden voorkomen, kunnen daarin een direct aanknopingsverband voor hun handelen vinden. Zo zal de ondersteuning van schuldenaren die 'kampen met' een laag verantwoordelijkheidsgevoel met betrekking tot hun eigen schulden ('het is niet mijn probleem' of 'iemand anders moet dit probleem maar oplossen') vooral gericht zijn op het beïnvloeden van dat verantwoordelijkheidsgevoel. Het ligt voor de hand dat die taak eerder door iemand vanuit maatschappelijk werk wordt uitgevoerd dan door een schuldhulpverlener. Daar staat tegenover dat iemand die een groot verantwoordelijkheidsgevoel heeft en in hoge mate bereid is zijn gedrag aan te passen maar niet weet hoe dat te doen, ondersteund wordt bij het aanleren van de benodigde vaardigheden. Een dergelijke taak ligt wel op het terrein van de schuldhulpverlener.

dimensies	complexe schulden		geen complexe schulden	
	gemiddelde	SD	gemiddelde	SD
gedrag en zelfbeeld eigen vaardigheden	3,44	,64	3,61	,63
bereidheid gedrag te veranderen	4,18	,52	4,09	,57
verantwoordelijkheidsgevoel	3,74	,68	3,95	,61
overtuigingen	4,27	,55	4,25	,53

Tabel 4. Samenhang score op gedragsdimensies en complexiteit schulden

(Bron: Van Geuns 2013, p. 39)

Onze conclusie dat effectieve ondersteuning van schuldenaren impliceert dat schuldhulpverleners meer gaan kijken naar psychologische kenmerken dan naar zogenoemde harde kenmerken, zal vermoedelijk niet verbazen. Hun opgave is om daar invulling aan te geven. Een eerste stap daarin bieden we door inzicht te geven in de differentiatie op de aspecten gedrag, zelfregie, bereidheid en overtuigingen. Het biedt schuldhulpverleners een inhoudelijke onderbouwing om de ene schuldenaar wel door te verwijzen naar een traject schuldregeling en een andere (nog) niet. De traditionele harde demografische kenmerken geven daarbij geen houvast.

De nieuwe blik werpt een nieuwe vraag op

een schuldregeling. De meerderheid van de schuldenaren wordt dus verwezen naar een andere partij. Afhankelijk van de problematiek kan dit een hulpverlener zijn die al betrokken is (doorgaans ggz, maatschappelijke opvang of verslavingszorg), een nieuwe hulpverlener (maatschappelijk werk) of een vrijwilliger. Door te differentiëren op houdingsaspecten is vaker dan voorheen te voorkomen dat mensen aan een schuldregeling beginnen terwijl uitval zich laat voorzien. Op basis van een inhoudelijke analyse van feitelijk gedrag, zelfregie, concessiebereidheid en overtuigingen kan de schuldhulpverlening met schuldenaren en andere betrokkenen (professionals of vrijwilligers) duidelijker afspreken welke gedrags- en andere veranderingen iemand moet realiseren alvorens te kunnen instromen in een schuldregeling.

De grote vraag waarvoor de betrokken professionals zich geplaatst zien, is in welke mate en hoe zij invloed kunnen uitoefenen op belemmerende overtuigingen en een te geringe concessiebereidheid en/of zelfregie. Vooralsnog zijn er geen bewezen effectieve interventies voorhanden ter ondersteuning en begeleiding van mensen teneinde hen in staat te stellen op termijn aan een schuldregelingstraject deel te nemen.

De leenmentaliteit in Nederland is veranderd. Zo'n zeventig jaar geleden werd er alleen geleend als dat echt noodzakelijk was – in de huidige globaliserende samenleving waarin consumentisme centraal staat, is de schaamte en terughoudendheid rond het aangaan van schulden aanzienlijk kleiner (Haster 2009; Veldheer e.a. 2012). Lenen is normaal aan het worden. Voor aankomende studenten is de kans zelfs groot dat het aangaan van een studielening de standaard wordt, gezien de voornemens van de overheid om de basisbeurs af te schaffen en een sociaal leenstelsel te introduceren.

Omdat lenen allengs normaler wordt, is het wenselijk dat we jongeren vroeg aan lenen laten wennen. Momenteel is veel aandacht erop gericht kinderen en tieners te leren omgaan met geld, op het weerstaan van verleidingen, op financieel beheer, financiële kennis en sparen, vanuit het idee dat zij dan later zonder financiële problemen op eigen benen kunnen staan. Weinig aandacht is er daarentegen voor verantwoord lenen. Er wordt nog steeds angstvallig aan gekeken tegen schulden bij jongeren, in welke vorm dan ook. Maar onze samenleving – het onderwijs, het maatschappelijk middenveld, de financiële dienstverleners – kan zich juist beter richten op lenen en op het omgaan met schulden. Schulden van jongeren zijn aan te wenden als leermoment, om te voorkomen dat het in de toekomst uit de hand loopt.

De schuldensituatie van jongeren

'Jongeren snelst stijgende schuldengroep' (EenVandaag 23-05-2013), 'Jongeren zitten dieper in de schulden' (Spitsnieuws.nl 20-07-2013) en 'Jongeren in schulden door mobiele abbo's' (Spitsnieuws.nl 21-05-2013) – de Nederlandse jeugd lijkt er slecht voor te staan en weinig schuldbewust te zijn. Maar dat beeld behoeft nuancering. Onder 'jongeren' en 'schulden' gaan veel verschillende categorieën schuil. Soms worden onder schulden ook leningen verstaan waarbij aan alle verplichtingen wordt voldaan. En de definitie van jongeren wordt soms zo ruim genomen dat zelfs volwassenen tot 35 jaar eronder vallen. Zo ontstaat er een te negatief beeld van de schuldensituatie van jongeren.

Onder tieners is de situatie nog geenszins zorgwekkend. Van de middelbare scholieren tussen 12 en 18 jaar geeft 42 procent aan wel eens geld te lenen, 2 procent leent vaak geld, 40 procent leent soms (Van der Schors e.a. 2013). Bij doorvragen blijkt 75 procent van de lenende scholieren per keer minder dan 3 euro te lenen. Bijna één op de tien had op het moment van ondervragen daadwerkelijk geld geleend, wat in 90 procent van de gevallen minder dan 10 euro was. In totaal heeft dus nog geen 2 procent van alle scholieren meer dan 10 euro geleend. Het merendeel, zes op de tien scholieren, komt nooit geld tekort.

De schuldensituatie van oudere jongeren ziet er echter beduidend anders uit; dan gaat het niet alleen meer om de kleine bedragen die geleend worden voor eten of drinken in de kantine.

Onderzoek van Van Heijst en Verhagen (2010) wijst uit dat van alle jongeren tot en met 25 jaar mbo-studenten financieel extra kwetsbaar zijn. Met twee derde van de studenten op het mbo gaat het op financieel vlak goed. Een derde vertoont potentieel risicovol gedrag en 5 procent heeft ernstige financiële problemen.

Ook uit onderzoek van het Nibud blijkt dat een deel van de mbo-studenten behoorlijke schulden heeft, helemaal in verhouding tot het inkomen. Eén op de zes mbo'ers heeft een schuld van gemiddeld 1.256 euro. Van de uitwonende mbo'ers heeft een kwart schulden, gemiddeld 2.450 euro (Nibud 2011).

Tot 2013 zijn studenten in het hoger onderwijs in de afgelopen dertien jaar 2,5 tot 3 keer meer gaan lenen. In 2013 stagneerde de groei; het aantal leningen daalde toen licht. De gemiddelde schuld van de lenende studenten is bij afstuderen in 2013 16.000 euro (Berkhout e.a. 2013).

Tot slot blijken jongeren van 18 tot 25 jaar de snelst groeiende groep te zijn van degenen die zich aanmelden bij de schuldhulpverlening. Zij vormen inmiddels 11 procent van de schuldenaren die om hulp vragen bij schuldhulp-organisaties, de zogenoemde NVVK-leden (NVVK 2013). Jongeren starten hun carrière dus steeds vaker met een schuldenlast, die in sommige gevallen

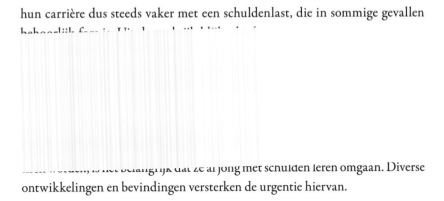

..., is het belangrijk dat ze al jong met schulden leren omgaan. Diverse ontwikkelingen en bevindingen versterken de urgentie hiervan.

Meer eigen verantwoordelijkheid voor financiële keuzes én risico's

De huidige maatschappij kenmerkt zich door meer eigen verantwoordelijkheid. Hoogleraar gedragseconomie Henriëtte Prast beschrijft dit als volgt: 'We leven in een tijd waarin risico, ook financieel risico, steeds meer bij de burger terechtkomt. Waarin de burger steeds meer financiële keuzes zelf moet en kan maken.'[1] Dit vraagt van burgers, consumenten, dat ze risico's kunnen inschatten en dat ze weten dat er aan elke keuze bepaalde consequenties verbonden zijn, om onaangename (financiële) verrassingen te voorkomen. Ook jongeren merken dit. Vanaf 18 jaar is iemand zelf financieel verantwoordelijk voor de gemaakte keuzes en de bijbehorende financiële risico's, en moet iemand zichzelf indekken tegen bepaalde risico's op financieel vlak.

Een consumptiemaatschappij

Daarnaast is onze samenleving een consumptiemaatschappij geworden. In de woorden van hoogleraar Prast: 'We kunnen 24/7 bij ons geld, en we kunnen het ook 24/7 uitgeven.'

Deze consumptiegerichtheid wordt versterkt door reclame die overal, en vaak ook subtiel, aanwezig is. Onbewust worden mensen hierdoor beïnvloed (Lindstrom 2008). Ook op jongeren gerichte programma's kennen allerlei verborgen reclame. Bijvoorbeeld in *American idol*, dat wordt gesponsord door Coca-Cola: de jury drinkt Coca-Cola, de bank heeft de vorm van een Coca-Cola-fles en het decor wordt gekenmerkt door de typische rode Coca-Cola-kleur. Ook in Nederland wordt reclame zo steeds vaker ingezet. Alle deelnemers van *So you think you can dance* gebruiken Rexona, de deelnemers van *The voice* zijn dol op Haribo-snoep en in *Goede tijden slechte tijden* drinken de personages graag Coca-Cola. Jongeren worden dus steeds meer beïnvloed en staan bloot aan allerlei verleidingen. Deze consumptiedruk gaat volledig in tegen de essentie van het voorkomen van schulden; de reclames doen geloven dat iemand alles moet hebben.

Omgaan met financiële verplichtingen

Zoals eerder vermeld, hebben uitwonende mbo'ers vaker schulden dan thuiswonende en zijn deze schulden hoger. Thuis hebben ze ook nauwelijks financiële verplichtingen. Pas als een mbo'er op zichzelf gaat wonen, krijgt hij verplichtingen en loopt ook de schuld op (Nibud 2011).

Uit onderzoek van Noorda en Pehlivan (2009) blijken jongeren met financiële problemen de verantwoordelijkheden die horen bij meerderjarigheid vaak niet helemaal aan te kunnen. Ze hebben niet geleerd om met geld om te gaan en overzien de consequenties van hun acties niet.

Houding en waarden tegenover geld

De afgelopen jaren is er meer aandacht gekomen voor de houding en waarden van jongeren ten aanzien van geld. Uit groepsgesprekken met een groot aantal mbo-jongeren komt naar voren dat het overgrote deel vindt dat ze moeten kunnen 'genieten'; dat zien ze als hun recht. Onder de meeste jongeren lijkt een 'pluk de dag'-mentaliteit te heersen, die bepalend is voor hun bestedingsgedrag (Reesink e.a. 2014).

Ook uit onderzoek van Stichting Weet Wat Je Besteedt (2011) blijkt dat de manier waarop jongeren tegen geld aan kijken van invloed is op hun uitgaven. Met name de mate van behoefte aan controle over geldzaken, de statusgevoeligheid en impulsiviteit zijn bepalend voor de kans dat een jongere tussen 12 en 25 jaar financieel risicovol gedrag vertoont. Vooral impulsieve jongeren, zowel middelbare scholieren als mbo-, hbo- en wo-studenten, geven meer geld uit, sparen minder vaak, komen vaker dan gemiddeld geld tekort en lenen ook vaker (Nibud 2011; Kreetz e.a. 2012; Van der Schors e.a. 2013). Van de jongeren heeft 55 procent een houdingsprofiel dat gepaard gaat met financieel risicovol gedrag; zij hebben een

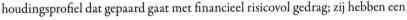

zinvol jongeren al voor hun 18ᵉ langzaamaan te laten wennen aan schulden. Tot nu toe wordt over schulden vaak nogal angstig gedaan. Zo krijgt het Nibud regelmatig telefoontjes van bezorgde ouders: 'Mijn zoon wordt binnenkort 18 jaar en dan mag hij zelf geld lenen, wat kunnen we doen om hem hiervoor te behoeden?'

Als een jongere op tijd met schulden leert omgaan, is te voorkomen dat zijn schulden uit de hand lopen. Het is wenselijk dat af en toe vallen om te leren opstaan, bijvoorbeeld door schulden te maken, ook op financieel gebied een geaccepteerde manier van leren is. Fouten kun je immers beter met kleine bedragen maken dan wanneer je een hypotheek afsluit.

Op financieel gebied ontbreekt die 'val en opsta'-periode nu door de geldende leeftijdgrens: tot 18 jaar zijn de ouders verantwoordelijk, daarna is de jongere dat opeens helemaal zelf, voor alle aangegane contracten en financiële verplichtingen.

Om deze overgang soepel te laten verlopen, kunnen ouders en de omgeving meer doen om jongeren de betekenis van schulden duidelijk te maken en hun de gelegenheid bieden de effecten ervan te ondervinden. Daarbij kan de harde grens van 18 jaar mogelijk ook meer uitgesmeerd worden.

Een schuld: het aangaan van financiële verplichtingen

Uit diverse onderzoeken blijkt dat jongeren verschillende typen schulden op uiteenlopende manieren ervaren. Zo varieert de betekenis die wordt gegeven aan termen als 'schulden' en 'rood staan'. En geleend geld wordt niet meteen als een schuld beschouwd (Van Heijst & Verhagen 2009). Het Nibud ziet dat ook al jaren: Wie jongeren vraagt of ze een schuld hebben, krijgt bijna altijd een ontkennend antwoord. Als er echter naar specifieke vormen van schulden wordt gevraagd –

geleend bij je ouders of bij de DUO, sta je rood? – dan is het antwoord positief. In onderzoek van Van der Schors en Wassink (2013) is aan jongeren in de leeftijd van 12 tot en met 24 jaar gevraagd of zij een schuld hebben, waarna hun verschillende soorten schulden zijn voorgelegd, onder andere studieschuld, geleend geld van anderen, betalingsachterstanden en frequente roodstand. Van de jongeren die geld hebben geleend van anderen benoemt 42 procent dit geleende geld niet als een schuld, en van de jongeren met een betalingsachterstand ziet 49 procent dit niet als een schuld.

Feitelijk maakt het ook niet uit of een jongere iets wel of niet als schuld betitelt. De naam doet er niet zo toe, het gaat om de eigenschappen – Shakespeare indachtig: 'Wat zegt een naam? Dat wat wij een roos noemen, zou met elke andere naam even heerlijk ruiken' (uit *Romeo and Juliet*, 1595). Het is wel van belang dat jongeren leren welke financiële verplichtingen ze aangaan als ze geld lenen, een bepaald contract tekenen of een product afsluiten, en dat ze aan die verplichtingen kunnen voldoen. Jongeren moeten de consequenties van een keuze overzien en dienen daarnaar te handelen.

Meer financiële verplichtingen bij de jongere neerleggen

Ouders kunnen jongeren leren omgaan met financiële verplichtingen door die meer bij hen neer te leggen en daar ook aan vast te houden. Een mogelijke manier is kostgeld vragen aan de thuiswonende jongere. Dit is een passende vorm, omdat het een verplichting is waar de jongere niet onderuit kan. Hij zal dit moeten betalen voordat geld wordt uitgegeven aan 'leuke dingen'. Zeker als er ook maanden zijn dat hij minder geld heeft en het bedrag niet of nauwelijks kan opbrengen, leert hij keuzes maken en krijgt hij er zicht op hoe hij bij een eventuele te late betaling de achterstand kan inlopen. Het geeft de jongere de mogelijkheid om, binnen een veilige omgeving, te vallen én zelf weer op te staan.

Deze kans wordt jongeren nu vaak ontnomen. Kostgeld wordt zelden gevraagd en ouders vinden het doorgaans moeilijk om nee te zeggen als hun om extra geld wordt gevraagd. Maar dit leermoment is alleen effectief als ouders standvastig zijn, grenzen stellen en consequent zijn door achterstallige betalingen van de jongere terug te vragen.

Een jongere een kleine schuld laten aangaan

de jongere als het ware rood staat onder de 50 euro.

Een andere mogelijkheid is dat een jongere vanaf 18 jaar een kleine lening kan krijgen, waarbij hij een deel van het gewenste bedrag pas krijgt als hij drie maanden lang heeft aangetoond dat hij aan de aflossing kan voldoen.

Op deze manier leren jongeren een afweging te maken of het in een bepaalde situatie verstandig is om wel of niet geld te lenen en krijgen ze zicht op waar ze op moeten letten bij het afsluiten van een 'krediet'. Bovendien kan een jongere op zo'n manier de consequenties van lenen daadwerkelijk ondervinden. Doordat het gaat om de situatie in de werkelijke wereld en niet in een game of een virtuele wereld, zullen de jongeren de gevolgen daadwerkelijk voelen. De gevolgen van een lening zijn menens, 'echt', maar blijven te overzien.

Ingaan op de achterliggende waarden

Ten slotte is het belangrijk dat jongeren niet alleen leren om te gaan met financiële verplichtingen en de implicaties ervan, maar ook dat ze zich bewust worden van de achterliggende motieven om te gaan lenen. Een lening, een schuld, is immers een middel om iets te verkrijgen wat iemand graag wil hebben. Zo wordt de mobiele telefoon vaak aangewezen als één van de oorzaken van financiële problemen bij jongeren. Maar de drang naar een dergelijk apparaat is een signaal en vormt niet de oorzaak van financiële problemen. Financiële problemen komen voort uit invloedrijke achterliggende persoonskenmerken, waarden en houdingen ten aanzien van geld en (luxe)artikelen (Reesink e.a. 2014). Het gaat dus niet om het luxegoed als zodanig, maar om dat waar het artikel voor staat. Er is een prikkel om die schuld aan te gaan. Minder lenen begint dan ook niet bij de lening zelf, maar bij het aanpakken van dat wat een jongere ertoe brengt een lening aan te gaan. Waarden spelen hierbij een belangrijke rol.

Wie komt met het eerste leerkrediet?

In de huidige consumptiemaatschappij waar het aangaan van leningen normaler wordt en financiële keuzes en risico's steeds meer bij de burger worden gelegd, is het belangrijk dat jongeren al vroegtijdig met (de consequenties van) financiële verplichtingen en schulden leren omgaan. Dit kan door ze – binnen de juiste kaders en onder begeleiding – al voor hun 18e, voordat zij financieel verantwoordelijk zijn, kleine verplichtingen te laten aangaan. Zo leren jongeren door 'learning by doing' de consequenties, de 'pijn' van geld lenen en achterstanden – zowel in euro's als in psychologische zin. Alleen wanneer jongeren worden geraakt in hun waarden, zullen ze de pijn van betalingsachterstanden en schulden ervaren. Zo krijgen betalingsachterstanden een leerzaam aspect: het voorkomen dat jongeren in de toekomst ondoordachte schulden aangaan die tot echte financiële problemen leiden. Daarom pleiten we voor een aanpak waarbij schulden van jongeren als iets positiefs worden gezien, mits we er een leermoment van kunnen maken. Wie komt met het eerste leerkrediet?

Sinds dit per 1 januari 2012 wettelijk mogelijk is, leggen gemeenten mensen met een bijstandsuitkering verplicht een tegenprestatie op in de vorm van 'vrijwilligerswerk'. Een verpleeg- en verzorgingsorganisatie in Gouda wil op alle zestien locaties mantelzorg 'moreel verplichten'. Bejaarden moeten actief meehelpen in het huishouden als de thuiszorgmedewerker langskomt. Wederkerigheid is in (Kampen e.a. 2013, p. 239; Bredewold 2014), waarmee tevens behendig wordt ingespeeld op het schuldgevoel van mensen.

Om profiteurs uit te bannen en ervoor te zorgen dat iedereen actief meedoet en een bijdrage levert, dient tegenover elke dienst een wederdienst te staan, want 'voor wat hoort wat'. Het begrip wederkerigheid duikt dan ook op in diverse noties van de landelijke en plaatselijke overheid en van zorg- en welzijnsinstellingen. Zo ook in de overheidsnotitie *Hervorming van de langdurige ondersteuning en zorg* (Tweede Kamer 2013). Staatssecretaris Van Rijn wijst daarin uitdrukkelijk naar het wederkerigheidsconcept als notie die ervoor kan zorgen dat er meer solidariteit ontstaat. Er valt te lezen:

'Het idee dat mensen voor elkaar willen zorgen, wordt gedragen door de notie van wederkerigheid. Over het algemeen is men zeer bereid om iets voor een ander te doen en iets terug te geven wanneer iemand iets heeft ontvangen: wederkerigheid werkt naar twee kanten' (Tweede Kamer 2013, p. 10).

In dergelijke stukken ontbreekt vaak een verdere uitleg of definiëring van het wederkerigheidsbegrip, maar het is een term die lijkt te passen bij het huidige politieke klimaat waarin van iedereen een bijdrage wordt gevraagd. Voor niets gaat de zon op. *Alle* mensen moeten meedoen, ongeacht beperking, ouderdom of ziekte.

Ergens valt het te begrijpen, gezien de bezuinigingen die de zorg in de greep houden. We moeten allemaal ons steentje bijdragen. Hierdoor gedreven, worden transities ingezet die gericht zijn op een transformatie in de klassieke verzorgingsstaat. Het gevolg is dat mensen die hulp nodig hebben niet langer vanzelfsprekend een beroep mogen doen op professionele hulp, maar ondersteuning moeten vragen aan familie, vrienden en buren. Zo zou iedereen in beweging moeten komen en niet slechts het handjevol actieve burgers dat toch al zo veel deed. Solidariteit moet worden gedragen door iedereen. Als dat niet langer kan door er mensen voor te laten betalen, zoals we jarenlang deden, en als mensen dat niet uit zichzelf oppakken dan moeten we op zoek naar andere vormen van solidariteit, zo lijkt de redenering.

De sterke nadruk op 'voor wat hoort wat' leidt tot een appèl op het schuldgevoel van mensen die zich 'onvoldoende' inzetten voor de samenleving. Het is de vraag of een dergelijke benadering het gewenste effect zal hebben. Is dit 'voor wat hoort wat'-principe eigenlijk wel het juiste uitgangspunt als je de wederkerigheid in de samenleving wilt versterken? Is inspelen op het schuldgevoel van mensen de manier om ze in beweging te krijgen?

Wederkerigheid en vertrouwen

Uit onderzoek blijkt dat geven en nemen eerder verbonden zijn met vertrouwen dan met gevoelens van schuld.

Het belang van geven en ontvangen in het sociale verkeer geniet warme belangstelling in verschillende wetenschapsdisciplines sinds de antropoloog Marcel Mauss in 1923 met *The gift* zijn theorie ontwikkelde over geschenkenuitwisseling. Het centrale inzicht in de sociologie is dat het proces van geven en nemen zich afspeelt binnen relaties van wederkerigheid. Met het geven komt er een cyclus van uitwisseling op gang die zich kenmerkt door geven-ontvangen-teruggeven. Op de markt, tussen vreemden, bestaat die wederkerigheid uit gelijk oversteken: de klant betaalt en ontvangt de koopwaar. In relaties tussen bekenden (familieleden, vrienden, kennissen, buren) is vaak geen sprake van gelijk oversteken. Toch is

(een vader zorgt voor zijn kind zonder dat hier direct iets tegenover hoeft te staan).

Gezien de relatie tussen de manier van uitwisseling en de emotionele band tussen gever en ontvanger, koppelen diverse wetenschappers het concept *vertrouwen* aan het wederkerigheidsconcept. Rechtstheoretica en hoogleraar Dorien Pessers (1999) bijvoorbeeld benadrukt dat er, afhankelijk van de band, een bepaalde mate van vertrouwen in het contact aanwezig is waarbij een vorm van wederkerigheid past. Zij onderscheidt twee vormen van wederkerigheid: reciprociteit en mutualiteit (door ons 'voor wat hoort wat' genoemd). Reciprociteit verwijst volgens Pessers naar duurzame sociale relaties waarin onbepaalde verplichtingen over en weer worden nagekomen in het vertrouwen dat die te zijner tijd vereffend worden. Vertrouwen is hierbij het sleutelbegrip (Pessers 1999, 2006). Dit vertrouwen is bij mutualiteit afwezig. Mutualiteit verwijst naar kortstondige bindingen tussen vreemden, waarin over en weer naar tijd en inhoud contractueel strikt bepaalde prestaties worden geleverd. Zodra partijen aan hun verplichtingen hebben voldaan, is er niets meer wat hen bindt – met andere woorden: de sociale relatie tussen gever en ontvanger is van ondergeschikt belang (Pessers 1999, p. 45; Pessers 2006, p. 2).

Op grond van literatuur zijn de verschillende wederkerige relaties op een continuüm te plaatsen (zie figuur 1).

Figuur 1. Continuüm van wederkerige relaties[1]

Aan de uiterste linkerkant van het continuüm worden relaties weergegeven waarbij het draait om het 'geven om niet'. In de zuiverste vorm van de gift staat het geven centraal en speelt de relatie niet mee. Hierdoor valt dit buiten het continuüm van 'wederkerige relaties'. De gever verlangt niets terug voor hetgeen hij geschonken heeft, en van de ontvanger wordt ook niet verwacht dat hij iets teruggeeft. Altruïsme zit dicht tegen de gift aan, maar bevindt zich wel binnen het continuüm van wederkerige relaties. Het betekent letterlijk 'onbaatzuchtigheid': je geeft iets aan een ander en cijfert jezelf weg. Bij altruïsme is wel sprake van een zekere mate van wederkerigheid – de gever haalt ook iets voor zichzelf uit het geven – maar de wederdienst is buiten beeld.

Uiterst rechts zien we de relaties waarbij er sprake is van ruil. Het gaat om de 'voor wat hoort wat'-relaties waarvan de meest zuivere vorm zichtbaar wordt in marktrelaties. Hierin draait het om de uitgewisselde dienst en is de relatie niet van belang. Daarom valt ook deze vorm buiten het continuüm.

In het middengebied worden relaties onderscheiden waarin empathie een belangrijke rol speelt. Hier worden wederkerigheid en empathie aan elkaar verbonden. Onderling vertrouwen speelt in deze relaties een grote rol en op grond hiervan vindt uitwisseling plaats. Er wordt iets gegeven in het vertrouwen dat er te zijner tijd iets voor terugkomt. Het gaat hier bijvoorbeeld om de uitwisseling van hulp en zorg tussen buren, waarbij mensen elkaar aandacht geven door een praatje te maken op straat, elkaars planten water geven tijdens de vakantie, de hond uitlaten of boodschappen doen voor elkaar. Hiernaast gaat het om verbanden tussen familieleden, waar mensen op grond van hun relatie hulp en zorg uitwisselen, zoals mantelzorg. De emotionele band tussen de gever en de ontvanger van hulp kan verschillen, maar in ieder geval kent de relatie een of andere vorm, en vanuit die relatie willen mensen iets voor elkaar betekenen (zie ook Beneken Genaamd Kolmer 2007a, 2007b; Gooberman-Hill & Ebrahim 2006).

Op grond van onderzoek blijkt dus dat de band tussen gever en ontvanger en de mate van vertrouwen bepalen in hoeverre mensen vinden dat ze moeten werken aan de balans tussen geven en ontvangen. Dit is een belangrijke notie, omdat we daardoor kunnen begrijpen waarom afhankelijkheid in relaties tussen geliefden en familieleden een minder groot probleem is dan tussen buren, wijkgenoten, vrienden of bekenden die ook opgeroepen worden om hulp en zorg aan elkaar te verlenen.

Feeling en framing rules

houden met de complexe gevoelens die spelen bij zorg, aangezien gevoelens voor een belangrijk deel dicteren hoe mensen handelen. Emoties als liefde, schuldgevoelens, plichtsgevoel, vertrouwen, onmacht of medelijden komen om de hoek kijken bij het geven en ontvangen van zorg. Ellen Grootegoed (2013) gaat in haar proefschrift bijvoorbeeld uitgebreid in op hoe schuld en schaamte een rol spelen in het ontvangen van hulp van naaste familieleden. En Tonkens, Van den Broeke & Hoijtink (2009, p. 13) constateren dat zorgen een 'complexe morele, emotionele en sociale aangelegenheid is'. Dat sluit aan bij het werk van de Amerikaanse sociologe Arlie Hochschild (1979, 2003), die met een 'sociologie van emoties' de complexiteit van gevoelens in beeld brengt. Zij laat zien hoe ook emoties worden beheerst door sociale regels, de zogenoemde *feeling rules*.

Hochschild maakt zichtbaar hoe mensen – dus ook professionals – voortdurend hard aan het werk zijn om in te schatten of hoe ze zich in een bepaalde situatie voelen wel klopt met hoe ze zich geacht worden te voelen. Als mijn *feeling rule* 'voorschrijft' dat ik me prettig moet voelen bij het accepteren van hulp van de buren maar ik me er toch schuldig over voel dat ik bij hen aanklopte, dan kan mijn feitelijke gevoel conflicteren met deze *feeling rule*. Mensen streven naar een zo klein mogelijk verschil tussen feitelijk gevoel en *feeling rule*. Bij een toenemend verschil kunnen er innerlijke conflicten ontstaan waardoor mensen vastlopen of niet de stappen zetten die in een bepaalde situatie misschien wenselijk zijn.

Feeling rules stammen van 'sociale regels' waarbinnen mensen gesocialiseerd zijn. Die regels, de zogenoemde *framing rules*, oefenen sociale controle uit op ons gevoel. Sommige *framing rules* zijn bijna universeel, zoals 'stelen mag niet'; andere horen bij specifieke sociale groepen of culturen. De norm dat je zelfredzaam moet zijn, is een *framing rule*; de norm dat ik gelukkig moet zijn omdat ik zelfredzaam ben, is een *feeling rule*.

Het kijken naar en beschrijven van ongeschreven regels in termen van *feeling* en *framing rules* en de wijze waarop deze met elkaar kunnen conflicteren, kan bijdragen aan een antwoord op de vraag of het inspelen op het schuldgevoel van mensen wel de manier is om hen naar wederkerigheid te bewegen. Mogelijk kunnen we er beter door begrijpen waarom we zo veel belang hechten aan wederkerigheid in onze samenleving en wat het voor mensen betekent om in niet-wederkerige relaties afhankelijk te zijn van anderen.

De angst voor afhankelijkheid

Maar zover zijn we nog niet. Eerst moeten we de herkomst kennen van de *framing rule* dat wederkerigheid de norm zou moeten zijn. Waarom vinden wij het belangrijk dat we iets teruggeven als we iets hebben ontvangen? En waarom kunnen we asymmetrische relaties minder waarderen?

In de westerse cultuur wordt er in geval van kwetsbare mensen gesproken in termen van herstel, participatie, eigen regie voeren, zelfredzaamheid, autonomie. Aan beperkingen gepaarde kwetsbaarheid wordt gezien als een actief te bestrijden iets, zo beschrijft Andries Baart in *De zorgval* (Baart & Carbo 2013). Ook volgens Annelies van Heijst (2011), de Tilburgse hoogleraar Zorg, cultuur en caritas, past hulpbehoevendheid niet binnen onze cultuur en wordt die letterlijk en figuurlijk uit beeld gedrukt – zo letterlijk dat er in brochures, folders en op websites van organisaties voor zorg en welzijn geen gebrek te zien is. Er worden beelden getoond van zelfbewuste mensen en van professionals die op gelijke hoogte staan en prettig communiceren. Volgens Van Heijst willen mensen hun hulpbehoevendheid niet zien, omdat dit lastig te verenigen is met waarden als onafhankelijkheid en zelfstandigheid. Als we deze lijn doortrekken naar het thema van dit hoofdstuk, dan kunnen we uit de perceptie van Van Heijst afleiden dat mensen feitelijk tekortschieten als ze niet aan dat ideaalbeeld voldoen en zich schuldig maken aan het niet verwezenlijken ervan: 'Het gelijkheidsethos en het ideaal van autonome individualiteit zijn sturende waarden in de cultuur als geheel. Daarin past geen Calimero-gevoel ("Jij bent groot en ik ben klein") en urgente hulpbehoevendheid roept precies dat wakker' (Van Heijst 2011, p. 7).

Volgens Van Heijst zijn deze waarden zeer sterk in de huidige westerse cultuur. Deze waarden zijn sturend, en zowel nederigheid ('jezelf-klein-weten') als

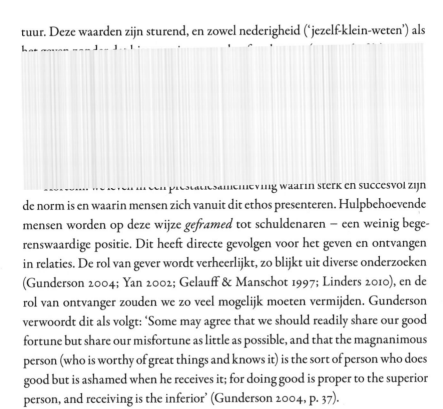

...we leven in een prestatiesamenleving waarin sterk en succesvol zijn de norm is en waarin mensen zich vanuit dit ethos presenteren. Hulpbehoevende mensen worden op deze wijze *geframed* tot schuldenaren – een weinig begerenswaardige positie. Dit heeft directe gevolgen voor het geven en ontvangen in relaties. De rol van gever wordt verheerlijkt, zo blijkt uit diverse onderzoeken (Gunderson 2004; Yan 2002; Gelauff & Manschot 1997; Linders 2010), en de rol van ontvanger zouden we zo veel mogelijk moeten vermijden. Gunderson verwoordt dit als volgt: 'Some may agree that we should readily share our good fortune but share our misfortune as little as possible, and that the magnanimous person (who is worthy of great things and knows it) is the sort of person who does good but is ashamed when he receives it; for doing good is proper to the superior person, and receiving is the inferior' (Gunderson 2004, p. 37).

Vanuit deze noties is het te begrijpen dat een balans in geven en ontvangen tussen hulpvrager en hulpgever van groter belang wordt. De gever wil zo veel mogelijk geven, maar de ontvanger wil niet te veel ontvangen want ook hij moet onafhankelijk zijn (*framing rule*) en zijn 'schulden' bij de gever inlossen. Dit past in het huidige discours, waarin we streven naar gelijkwaardigheid.

De 'voor wat hoort wat'-wederkerigheid botst met wat wetenschappers verstaan onder wederkerigheid. Levi-Strauss (1969) en Komter (2003) gaan evenals Pessers (1999) en Newton (2004) uit van vertrouwen als basis voor uitwisseling binnen gemeenschappen. Aldus Komter: 'Het leven zou er voor iedereen prettiger op worden, wanneer vriendelijkheid, hoffelijkheid en respect op soortgelijke wijze beantwoord worden en wanneer mensen inzien dat rekening houden met anderen de basis is voor elke vorm van gemeenschapsleven. En dan dus niet op basis van voor-wat-hoort-wat, maar op basis van vertrouwen' (Komter 2004, p. 173).

Afhankelijkheid in de praktijk

Uit onderzoek blijkt dat het accepteren van informele hulp bij veel mensen het gevoel van autonomie reduceert (Linders 2010; Grootegoed 2013; Bredewold 2014). Een wijdverbreide *framing rule* is dat cliënten vinden dat familieleden niet verantwoordelijk zijn voor het vervangen van formele zorg. Als mensen meer zorg van familieleden ontvangen, tast dit hun gevoel van autonomie aan. Ze voelen zich dan juist minder zelfredzaam dan wanneer ze door professionals geholpen worden. Doordat professionals worden betaald voor de gegeven hulp en zorg, heeft men minder het gevoel de ontvangen hulp te moeten compenseren – de opgebouwde schuld wordt via betaling ingelost.

De *framing rule* dat je zonder er iets voor terug te doen een beroep mag doen op beroepskrachten, begint echter af te kalven. Het 'mogen' ontvangen van (door de overheid) betaalde zorg staat onder druk. Steeds vaker krijgen bijvoorbeeld ouderen te horen dat ze een onevenredig groot beroep doen op de gezondheidszorg en hierdoor medeschuldig zijn aan de enorme kostenstijging, vergezeld van de boodschap dat zij onvoldoende tegenprestaties leveren voor wat ze kosten.

Beleidsmakers en bestuurders leggen de nadruk op het problematiseren van de positie van de ontvanger van formele zorg. De volgende zinsnede uit een interview met de bestuurder van Flexus Jeugdplein in Rotterdam is exemplarisch voor de toonzetting in het debat over bezuinigingen in de zorg:

> 'Mensen meer aanspreken op de eigen verantwoordelijkheid is daarin een belangrijke stap in het terugdringen van de overmatige zorgconsumptie en het consumentisme in het algemeen. Mensen moeten weer verantwoordelijkheid oppakken voor hun eigen lot en dat van hun omgeving. Dat is een boodschap die zowel de politiek als de hulpverlening moet uitdragen' (Bosman & Vos 2013).

Het accent op de eigen verantwoordelijkheid en eigen kracht van cliënten en burgers zien we weerspiegeld in de onderbouwingen van de drie decentralisaties: de overgang van de functie begeleiding van de AWBZ (gericht op de bevordering van zelfredzaamheid) naar de Wmo, de nieuwe Jeugdwet en de invoering

van de Participatiewet. Er wordt voortdurend op gehamerd dat mensen alleen
als het écht nodig is een beroep m~~~~ ~~~~ ~~ ~~~~~~~~~~

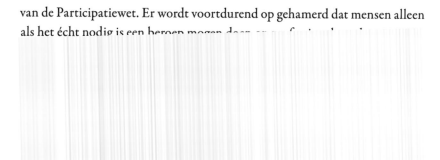

~~~~ ~~~~.,~ ~~ ~~gg~~~~~~ wantrouwen en dat
speelt in op de mogelijke schuldgevoelens van mensen in een ontvangende
rol. Toch is het inmiddels gemeengoed geworden in de communicatie van
instellingen met hun cliënten om in dergelijke termen te spreken, zo blijkt
ook uit de visie van Prisma, een organisatie voor mensen met verstandelijke
beperkingen:

> 'Iedere burger verdient een waardevol leven. Soms is daarbij onder-
> steuning nodig. Prisma staat voor deze ondersteuning. En stelt altijd
> een paar belangrijke vragen: Wie ben je? Wat wil je? Wat kun je zelf?
> Waarbij heb je ondersteuning nodig? Op basis van de antwoorden
> bepalen we of en welke hulp onze professionals kunnen bieden. Want
> zij helpen alleen als het echt nodig is. Bovendien ondersteunen en
> benutten we graag zoveel mogelijk de eigen kracht van de burger, die
> van de omgeving en van beschikbare vrijwilligers!' (Prisma 2013)

Het is niet zo gek dat we deze uitgangspunten overal terugkomen; de rijks-
overheid stuurt hier bewust op aan. In de Memorie van toelichting bij de
conceptversie van de Wet maatschappelijke ondersteuning 2015 (VWS 2013)
is het uitgangspunt dat mensen in de eerste plaats zelf verantwoordelijk zijn
voor hun leven – voor zover ze die verantwoordelijkheid kunnen dragen – en
dus ook voor hun zelfredzaamheid en participatie. Dit uitgangspunt is in dit
wetsvoorstel nadrukkelijker opgenomen dan in de Wmo die in 2007 van start
is gegaan. Opmerkelijk in deze conceptwet is ook dat gevraagd wordt om
wederkerigheid:

'Een te verkiezen mogelijkheid om de zelfredzaamheid of de maatschappelijke participatie van een cliënt te verbeteren, is waar mogelijk het verrichten van maatschappelijk nuttige activiteiten. Indien dit voor iemand mogelijk is, moet die kans uiteraard ook benut worden. De cliënt die maatschappelijke ondersteuning ontvangt, kan zichzelf helpen door het verrichten van die activiteiten en daardoor niet alleen zijn eigen maatschappelijke participatie verbeteren, maar ook "iets terugdoen" en dat geeft mensen een sterker gevoel van eigenwaarde dan wanneer men alleen "ontvangt" – hoe noodzakelijk dat ook is' (VWS 2013, p. 23).

In de Memorie van toelichting worden ook enkele voorbeelden genoemd die moeten illustreren hoe het mes aan twee kanten kan snijden:

'Eenzaamheid kan mogelijk worden verminderd door bijvoorbeeld ouderen te laten voorlezen op de voorschoolse opvang voor kinderen met een taalachterstand; of de gepensioneerde boekhouder die rolstoelgebonden is, wordt vrijwilliger in het kader van de gemeentelijke schuldhulpverlening' (VWS 2013, p. 23).

De regering wil het streven naar wederkerigheid in de zorg overigens niet verplichten; dat acht ze een brug te ver. 'De cliënt kan niet gedwongen worden om "in ruil voor" de ondersteuning zulke activiteiten te verrichten op straffe van het verliezen van die ondersteuning' (VWS 2013, p. 23). Waar het arbeidsparticipatie betreft staat deze verplichting wel ter discussie. In sommige gemeenten worden mensen nu al verplicht om iets terug te doen voor de ontvangen bijstandsuitkering en per 1 juli 2014 geldt dit voor alle bijstandsgerechtigden.

Het *frame* dat je mag leunen op de overheid maakt dus langzaamaan plaats voor dat van wederkerigheid tussen overheid en burger, tussen beroepskracht en cliënt en tussen burgers onderling. Hierdoor kunnen zorgbehoevenden zich in het nauw gedreven voelen. Enerzijds mogen ze niet meer leunen op de overheid, anderzijds wensen ze niet afhankelijk te zijn van hun netwerk. Dit kan bij hulpontvangers het gevoel van schuld versterken. Ze kunnen hun eigen kracht toch wel aanboren? Tien jaar geleden wees Van Vliet c.s. al op de risico's die dit met zich mee kan brengen: 'De maatschappelijke ontwikkeling kan leiden tot

een nieuwe sociale kwestie: als de schuld voor het falen primair bij individuen
wordt gelegd ("blaming the victim"), dan zal dit onerzijde

chiatrische beperking en in mindere mate chronisch zieken en mensen met een
fysieke beperking – de gevolgen van de eerste bezuinigingsronde (2009-2010)[2]
compenseren. Mensen die met beperkingen kampen en door de bezuinigingen
een beroep moeten doen op familieleden en andere betrokkenen, doen dit niet
vanzelfsprekend. Ze geven aan het moreel onjuist te vinden om al bij hen betrokkenen nog meer te belasten. Daarnaast vinden ze de last van 'dankbaarheid' te
groot. Doordat mensen vanwege hun beperkingen niet altijd iets terug kunnen
doen voor hun familieleden, hebben ze het idee dat ze continu 'dankjewel' moeten
zeggen. Bij het ontvangen van steun van de overheid ervaren deze cliënten geen
negatieve 'schuldbalans'; ze betalen immers premie en krijgen waar ze 'recht' op
hebben. Hulpbehoevenden – die voorheen een beroep konden doen op de AWBZ-
voorzieningen – zoeken liever geen hulp dan dat ze hun netwerk verder belasten
(Grootegoed 2012, p. 80). Met andere woorden: ze zitten klem tussen de *framing*
rule dat ze om deze steun moeten vragen en deze moeten accepteren omdat de
verzorgingsstaat anders onbetaalbaar wordt, en de *feeling rule* dat ze dankbaar
moeten zijn voor ondersteuning door het netwerk en hun feitelijke schuldgevoel.

Onderzoek van Bredewold (2014) naar contact tussen mensen met een verstandelijke of psychiatrische beperking en buurtbewoners laat eenzelfde beeld zien.
Met name mensen met een psychiatrische achtergrond geven aan dat ze vechten
tegen afhankelijkheid in relaties en daarom liever geen beroep doen op buurtbewoners en andere mensen in de samenleving (familieleden en beroepskrachten
uitgesloten). Ze willen zich verre houden van relaties waarin ze afhankelijk zijn van
anderen, omdat ze het idee hebben dat de schuld in de relatie alsmaar toeneemt
als ze in liefdadigheidsrelaties verkeren. Hierdoor vragen ze geen hulp of trekken
ze zich terug uit asymmetrische liefdadigheidsrelaties (zie ook Linders 2010).

De *framing rule* dat je potverteerder bent als je hulp vraagt en je de morele plicht hebt een wederdienst te verlenen, heeft dus grote invloed op hoe mensen zich voelen (hun *feeling rules*), en het onbehagen dat dit veroorzaakt bepaalt mede hun handelen. Mensen stellen minder hulpvragen en dit kan leiden tot minder zelfredzaamheid. Het aanspreken op eigen kracht pakt dus niet vanzelfsprekend goed uit. Doordat het ontvangen in hulprelaties negatief is *geframed*, durven mensen minder goed hulp te vragen. Zorgprofessionals worden gemaand alert te zijn, want 'pas op, wie weet duw je degene die hulp ontvangt in de consumentenrol'. De positie van de ontvanger wordt gefrustreerd. Als je ontvangt, lijk je per definitie al schuldig te zijn. Uiteindelijk wordt daardoor ook het geven geproblematiseerd. Want heeft de ontvanger het wel écht nodig? En wie geeft er nog iets zonder dat hier iets tegenover staat?

Wederkerigheid op basis van vertrouwen

In dit klimaat moet er gewerkt worden aan vertrouwen tussen overheid en burgers en tussen burgers onderling, opdat de wederkerigheid in onze samenleving versterkt wordt. Maar hoe werken we aan het toenemen van dat vertrouwen?

Om te beginnen door ergens mee op te houden – in het bijzonder met het *framen* van het 'geven' in termen van 'offers' en 'wat zie ik ervan terug', zoals (nota bene) gebeurt in het pleidooi van de RMO voor de solidaire samenleving, *Rondje voor de publieke zaak*. Hierin wordt gesproken over solidariteit in termen van 'wat heb ik eraan?', 'risico's' en 'belangen' (RMO 2013, p. 60). De RMO wil solidariteit het liefst bevorderen op basis van het 'welbegrepen eigenbelang', met als uitgangspunt dat mensen in beweging willen komen voor anderen wanneer ze zelf belang hebben bij het publieke belang. Het publieke belang is dan ook in jouw belang. Dit redeneren vanuit belangen en schuld kwamen we ook in de diverse beleidsstukken tegen. Wij pleiten ervoor om hiermee direct te stoppen.

Daarnaast sluiten we ons aan bij diverse zorgethici (Tronto 1993, 2013; Manschot 1994; Gelauff & Manschot 1997; Verkerk 1994; Baart 2013) die ontvangers van hulp niet langer willen zien als niet-krachtig, onrendabel, onfortuinlijk en slap. Het is van belang om zorg juist in een positief daglicht te stellen als we meer afhankelijk van elkaar worden. Kunnen en durven vragen wat je nodig

hebt, kan sterk en krachtig zijn. Je kunt afhankelijk zijn van een ander en toch
autonoom zijn. Dat vraagt om herwaardering van menselijke

van hun anders-zijn. Of onderzoek van Inge Mans (1998), met aandacht voor
wat mensen met beperkingen kunnen brengen in het leven van hun medemens,
zoals dat mede blijkt uit diverse onderzoeken onder mantelzorgers. Naast de last
die het zorgen met zich meebrengt, genieten ze van de zorg voor hun naasten
(Beneken Genaamd Kolmer 2007a, 2007b; Tonkens e.a. 2009; Bredewold &
Baars-Blom 2009; Linders e.a. 2013). Hoewel mensen die zelf zorg ontvangen
kunnen worstelen met afhankelijkheid, en mensen die zorg geven het moeilijk
kunnen hebben met de zware last van het zorgen, kent het zorgen voor en geven
aan een ander veel positieve kanten. Daar mag wel meer aandacht voor komen.

Als laatste willen we benadrukken dat een sociaal-emotionele band en het er-
mee samenhangende vertrouwen niet iets is wat zich laat afdwingen. Sociale regels,
bijvoorbeeld dat hulp en zorg gemakkelijker tot stand komen tussen mensen met
een nauwe emotionele band en een hoge mate van onderling vertrouwen, zijn niet
zomaar te veranderen. Juist voor meer kwetsbare mensen, zoals ouderen en mensen met een verstandelijke of psychiatrische beperking, zijn dergelijke netwerken
gebaseerd op onderling vertrouwen niet vanzelfsprekend voorhanden. En met een
simpele morele oproep om meer zorg voor elkaar te hebben, ontstaan dergelijke
netwerken ook niet. Voor deze groepen moet maatschappelijke ondersteuning
gearrangeerd blijven of worden. Daarnaast is het naïef om te denken dat er voor
mensen die weinig te geven hebben wel hulp en zorg kan ontstaan vanuit het
idee van 'voor wat hoort wat'-wederkerigheid. Juist hier is ruimte nodig voor een
minder calculerende manier van omgaan met elkaar. Inspelen op schuldgevoelens
lijkt niet de beste manier om onderlinge solidariteit op te bouwen.

Die uitnodiging kon ik niet afslaan. De welzijnsinstelling in mijn buurt bood een training schuldhulpverlening aan. Enige kennis op dat gebied zou me goed van pas komen, omdat ik als mentor van schoolgaande jongeren in gezinnen kom die vaak verdwaald zijn in schulden. Bovendien was het een goede opmaat voor dit verhaal. Dus zat ik op een avond in het Huis van de Buurt in een zaaltje met zo'n vijftien andere nieuwsgierigen. Twee ervaren schuldhulpverleners voerden ons langs het te doorlopen traject voor mensen die aankloppen met schuldproblemen. Het was een onthutsende ervaring. Eerst moet de 'cliënt' twee informatiebijeenkomsten volgen, dan kan hij naar een aanmeldgroep, vervolgens is er een budgetcursus en daarna een individueel gesprek. Hij heeft bij de start een aanvraagformulier ingevuld, later volgt er een officieel verzoek tot toelating. Hij moet heel veel paperassen overhandigen – loonstroken, bankafschriften, huurspecificaties, jaaropgaven en zo meer – en als daarin iets ontbreekt, is toelating niet mogelijk. Een pagina's lange lijst met vragen moet worden doorgeworsteld ten behoeve van een plan van aanpak, een begroting, een schuldenoverzicht en een stabilisatietraject. In 'tussentijdse evaluaties' kunnen nieuwe voorwaarden worden gesteld.

En dit is nog maar het voortraject; pas na het succesvol doorlopen hiervan volgt een besluit tot toelating tot een minnelijke of wettelijke schuldsanering bij de Gemeentelijke Kredietbank. Die gaat beoordelen wat de cliënt kan betalen en doet op basis daarvan een schikkingsvoorstel aan schuldeisers. Als die hun verlies nemen, of door de rechter daartoe gedwongen worden, betaalt de gemeente hun het bedrag waarmee ze akkoord zijn gegaan en moet de cliënt drie jaar lang de gemeente terugbetalen. Over het algemeen is dat een automatische inhouding op het inkomen. Als dat een uitkering is – wat vaak het geval is – zal de cliënt en zijn huishouden drie jaar lang onder het minimum moeten leven. Houdt hij dat vol, dan wordt het restant kwijtgescholden.

Aan het eind van de avond kreeg ik een informatiemap mee en een prachtig certificaat voor het 'met goed gevolg afronden van de training traject schuld-hulpverlening'. Wat ik vooral had opgestoken, was hoe ingewikkeld, formeel en rigide de hulp is. Niet per se liefdeloos, want de mensen om wie het gaat kunnen elke week in een financieel café terecht waar ze steun kunnen krijgen van profes-sionele schuldhulpverleners en vrijwilligers. Maar ik had die avond ook gezien hoe makkelijk het is om te verdwalen in al die procedures en regels.

Een op de zes huishoudens in Nederland heeft schuldproblemen. In 2013 klopten bijna 90.000 mensen aan voor schuldhulp, zo meldt de vereniging van schuld-hulpverleners (NVVK), en een derde daarvan is ook bekend bij maatschappelijk werk of ggz. Het gaat bij die laatste groep om mensen die kopje-onder gaan in een wereld die net iets te ingewikkeld voor hen is, en nu komen ze in een even ingewikkelde hulpmachinerie terecht. De goede bedoeling om mensen te helpen is in het juridische beton gegoten van termijnen, regelingen, afspraken en contro-les. Na die avond vroeg ik mij af: Kan dat echt niet anders? Is het niet mogelijk om schuldenaren op een minder formele, niet per se minder strenge maar wel eenvoudiger en menselijker manier met hun schulden te helpen en als het kan een schuld ook gewoon kwijt te schelden? Hen te bevrijden van hun last en hun een nieuwe kans te geven, hen met een schone lei te laten beginnen? Dat is mijn zoektocht in dit verhaal.

Langs bij de predikers

Schuldkwijtschelding is de corebusiness van kerken, maar dan met schuld in de betekenis van zonde. Zouden we misschien iets kunnen leren van hoe zij omgaan met schuld en vergeving? Voor wie is die kwijtschelding, onder welke voorwaar-den, en wie vergeeft? Ik besluit ter inspiratie voor mijn zoektocht te beginnen met een rondje langs predikers.

Zo beland ik op een zonnige woensdagochtend in het rijtjeshuis van Maurits

Oldenhuis, dominee van de Gereformeerde Kerk vrijgemaakt te Bergschenhoek.

...met na ons dat in te peperen, maar – zo zegt Oldenhuis – het zou wel een beetje mager zijn als het daarbij bleef. Langzaam werkt de Bijbel toe naar de komst van Jezus die sterft aan het kruis en met dit offer al onze schuld op zich neemt. Oldenhuis: 'We zijn allemaal schuldig. Om te beginnen moeten we dat onder ogen zien. Vervolgens laat God weten dat er een uitweg is, die van de kwijtschelding.'

De grote vraag is dan hoe dat werkt – als kwijtschelding er altijd en voor iedereen is, is dat dan niet erg makkelijk? Oldenhuis citeert de negentiende-eeuwse dichter Heinrich Heine die zei: 'God vergeeft mij, dat is zijn vak.' Zo werkt het dus niet, aldus de dominee. 'God doet het graag, maar niet als een bakker waar je een brood kan halen.' In moderne termen: er is geen recht op kwijtschelding. De vergeving is gul, maar vraagt om berouw en zelfinzicht. Fouten erkennen is moeilijk, weet Oldenhuis. 'Sla de krant maar open. Politici zullen na uitglijders nooit zeggen: "Ja, ik heb het gedaan." Er zijn altijd omstandigheden, ronduit toegeven is zeldzaam. Maar wat kan je vergeven als mensen eigenlijk beweren dat ze niets hebben gedaan?'

Oldenhuis vertelt dat hij een preek voorbereidt over het nieuwtestamentische verhaal over de farizeeër en de tollenaar die naar de tempel komen om te bidden. De farizeeër kijkt laatdunkend naar de tollenaar, iemand die in dienst van de Romeinen belasting inde en die veelal in eigen zak stak, en zegt: 'God, ik dank u dat ik niet zo ben als die zondaar daar.' De tollenaar staat er handenwringend en verzoekt: 'God, wees mij genadig.' Jezus zegt: de tollenaar ging gezegend naar huis. De vrome man zonder zelfkennis krijgt geen kwijtschelding, en de zondaar met zelfinzicht wel.

De rol van de dominee in de vergeving is bescheiden. 'Ik praat met mensen, probeer met hen hun problemen in kaart te brengen en wat ze tegen God kunnen zeggen. Maar ik zeg niet: "Jouw schulden zijn kwijtgescholden".'

Kunnen we uit dit alles iets leren voor de omgang met financiële schulden? Oldenhuis aarzelt, de geldschuld is in tegenstelling tot de morele schuld niet verkeerd. 'De Bijbel staat schulden toe. Maar er is ook een verhaal over een jubeljaar – eens in de vijftig jaar worden alle schulden vereffend om blijvende armoede te voorkomen. Onduidelijk is of dat ooit de praktijk is geweest en hoe dat zou werken. Misschien zouden we eens iets kunnen proberen.'

De mensen die aan ons schulden hebben, hoeven we die niet kwijt te schelden, zo zegt hij geruststellend. 'Tenzij iemand echt aan de grond zit.' Oldenhuis wisselt van perspectief. Als hij schulden had en hulp kreeg aangeboden, zou hij die alleen accepteren onder voorwaarde van terugbetaling. 'Ik wil niet bij iemand in het krijt staan.' In principe moet een schuld altijd vereffend worden, zegt Oldenhuis, en de deurwaarder is iemand die gewoon zijn werk doet. 'God houdt de mensen niet voor onmachtig; ze moeten verantwoordelijkheid dragen, ook bij financiële schulden.'

Onder de indruk vertrek ik bij de dominee. Best streng eigenlijk; de vergeving is ruimhartig, maar gaat samen met veel eigen verantwoordelijkheid. Een paar dagen later sluit imam Soheil el Kouch daar bijna naadloos bij aan. De islam kent geen verhaal à la Jezus die alle zonde op zich neemt, maar dat doet niets af aan de vergevingsgezindheid van de islamitische God. De schuldige mens kan altijd bij hem terecht voor kwijtschelding. Ook zware criminelen, zegt El Kouch (37). Hij is geestelijk verzorger in de gevangenis in Norgerhaven, met een afdeling zware jongens die voor twintig of dertig jaar of levenslang opgesloten zitten. Sommige gedetineerden zijn bezig met schuld en vergeving, maar lang niet iedereen praat in termen van 'ik voel me schuldig'. El Kouch: 'Het is hier een enorme machocultuur, ze praten moeilijk over gevoelens.'

De voorwaarde voor vergeving is berouw. 'Dat houdt ook in dat als jij iemand pijn gedaan hebt, je diegene om vergiffenis vraagt.' Twee weken geleden bood hij in zijn preek aan te helpen slachtoffers te benaderen. 'Eén gedetineerde meldde zich later. Hij wil het rechte pad op. Hij zei: "Er ligt een last op mijn schouders, zonder vergiffenis kan ik de dag des oordeels niet tegemoet".'

De imam vergeeft niet – net als de dominee praat, helpt en steunt hij. 'God vergeeft.' El Kouch legt in zijn gesprekken met gedetineerden veel nadruk op de eigen verantwoordelijkheid. 'Ze wijzen graag op anderen en op omstandigheden:

"Het is mij overkomen." Volgens de Koran is ieder mens van nature goed en heeft

we spreken over de geldschuld. De Koran verbiedt rente op schuld, omdat dat diefstal is van de bezitter op de niet-bezitter, maar schulden maken mag. En schulden aflossen móét, dat is een streng gebod. Wie sterft met schulden, begaat een ernstige zonde.

Dat morele schulden worden vergeven en geldschulden moeten worden afgelost, is niet gek, legt de imam uit. 'Het eerste is een recht tegenover God, het tweede is iets tussen mensen. Je krijgt geen *carte blanche* om maar wat af te lenen.' De plicht op aflossing geldt voor de schuldenaar, terwijl de schuldeiser wordt gemaand barmhartig te zijn.

De imam wijst dus op twee verantwoordelijkheden: de eigen verantwoordelijkheid en die voor de ander. En – dat is van belang – die twee bestaan naast elkaar en tegelijk. Het is niet het één of het ander.

Nu wil ik ook nog bij de rooms-katholieken langs vanwege de rol van de biecht. Ik heb belet gevraagd bij pastor Pierre Valkering van de Amsterdamse Vredeskerk bij mij om de hoek. Een kerk uit de jaren twintig van de vorige eeuw in de stijl van de Amsterdamse school en de Beurs van Berlage. In de aangebouwde pastorie ontvangt Valkering mij in zijn studeerkamer. Tussen twee bureaus en drie wanden met boeken is net ruimte voor drie oude leunstoelen.

'Wij hebben een zonnig geloof; katholieken zijn gemiddeld niet geneigd om de dimensie schuld te accentueren', zegt Valkering, 53 jaar, lange zwarte lokken, priesterboordje. Niettemin: 'Nillens willens maken mensen fouten. Elke eucharistieviering beginnen we met een boeteritueel: "Heer ontferm u over ons, wij hebben gezondigd." Dat is de eenvoudige versie, de uitgebreide versie legt meer nadruk: "Ik belijd dat ik gezondigd heb... door mijn schuld, door mijn grote schuld", begeleid door met de vuist op de borst te slaan.' Deze laatste formule gebruikt hij niet zo vaak. 'Je hoeft mensen hun schuldigheid niet zo in te peperen.'

Aan de schuldbelijdenis is onmiddellijk de vergeving gekoppeld. 'Op het boeteritueel volgt een absolutie: "Moge de almachtige en barmhartige God zich over ons ontfermen, moge Hij onze zonden vergeven en ons geleiden tot het eeuwig leven".' Dat is de vergeving in algemene zin. Voor de concrete, persoonlijke situatie is er het sacrament van de biecht. Officieel doet iedere gelovige dat minimaal eenmaal per jaar voor Pasen. 'Dan vertel je waarin je bent tekortgeschoten.' Vervolgens spreekt de priester – anders dan de dominee of de imam – namens God vergeving uit.

Altijd? 'Als er berouw is. De priester kan de oprechtheid niet beoordelen, het is iets tussen de mens en God. De priester spreekt en vraagt, maar neemt geen kruisverhoor af. De paus heeft gezegd: "De biechtstoel is geen folterkamer".' De biechtstoel met gordijn en luikje gebruikt Valkering niet. 'Het is beter om elkaar te kunnen aankijken.'

Buitenstaanders vinden het gemakkelijk verkregen, zegt de pastor. Ten onrechte. 'Het is in de praktijk niet zo eenvoudig je fouten toe te geven. Dat vraagt dat je eerlijk naar jezelf kijkt.' Biecht is spijt én inzicht, zo vat hij samen.

Na de absolutie legt de priester penitentie op. 'Dat kan een gebed zijn. Als er mensen benadeeld zijn, vraag ik meestal ook een inspanning om het goed te maken. Als iemand biecht dat hij een winkeldiefstal van 100 euro heeft gepleegd, zal ik voorstellen een enveloppe met 100 euro bij die persoon in de brievenbus te doen. Belangrijker nog is het vragen om vergeving van mensen die benadeeld zijn.'

De zinsnede 'Vergeef ons onze schulden, gelijk wij vergeven onze schuldenaren' is ook toepasbaar op geldschulden, aldus de pastor. Maar niet als gebod. 'Het gebed zegt: behandel anderen zoals jij behandeld wilt worden. Wij zijn allemaal schuldenaren, wij staan allemaal in het krijt, mensen die denken dat dat voor hen niet geldt, vergissen zich.'

Zou de biecht te kopiëren zijn naar het domein van het geld, vraag ik, een ritueel waarin je je schulden kan voorleggen, schuldbewustheid kan tonen en kwijtschelding kan krijgen? Met in de rol van biechtvader de deurwaarder, tenslotte degene bij wie de schuldenaar met de billen bloot moet, zoals de zondaar bij de priester? Valkering vindt de geldschuld iets tussen schuldenaar en schuldeiser, alleen de laatste kan kwijtschelden. Maar, opper ik, zoals de priester als bemiddelende tussenpersoon vergeeft, zo zou een deurwaarder dat toch ook kunnen doen? Hij kijkt me verbaasd aan – dat verschil moet ik toch zien. 'Vergeven is

hun verlies nemen.

De pastor moet naar de middagmis. Ik loop nog een rondje om de kerk. Wat heb ik geleerd van de predikers? De vergeving van de morele schuld vraagt om berouw en de bereidheid kritisch naar jezelf te kijken. De geestelijken tonen zich strenge opvoeders. De eigen verantwoordelijkheid is hen in de mond bestorven. Ook als het gaat over de geldschuld zijn ze streng: de schuldenaar moet zijn verantwoordelijkheid nemen, het is aan de schuldeiser mededogen te hebben.

Zijn dit begrippen waarmee ze in de schuldaanpak uit de voeten kunnen? De geestelijken stellen gedrag en reflectie centraal. De rituele rol van de biecht intrigeert. Het botst misschien met alle beeldvorming, maar zou de deurwaarder inderdaad een rol kunnen spelen in de vergeving van geldschulden? Hoe komen deurwaarders aan het imago van boeman, en is dat terecht? Wat doen deurwaarders eigenlijk?

Deurwaarder als biechtvader?

Op zoek naar antwoorden kom ik bij Ineke van den Berg, verbonden aan de Hogeschool Utrecht, waar zij gerechtsdeurwaarders opleidt. Of eigenlijk 'kandidaten', want na hun opleiding moeten ze eerst een aantal jaren in de praktijk meelopen. De deurwaarder is een beëdigd ambtenaar zoals de notaris dat ook is. Van den Berg: 'De deurwaarder voert een vonnis van de rechtbank uit.' Hij int een schuld, desnoods door beslag te leggen op bezittingen van de schuldenaar. 'Volgens de wet moet hij de belangen van schuldeiser én schuldenaar in de gaten houden. Maar de eerste is zijn opdrachtgever, dus daar zit spanning.'

De wetswijziging van 2001 waarbij marktwerking is geïntroduceerd, heeft die spanning vergroot. De deurwaarders – ongeveer duizend in Nederland – concurreren om opdrachten en dat maakt ze afhankelijker van schuldeisers, zegt Van den Berg, die in 2013 promoveerde op een onderzoek naar de gevolgen van die marktwerking. 'De deurwaarder is ondernemer geworden en dat geeft een heel andere dynamiek. Voorheen hadden ze hun eigen gebied en kenden ze hun pappenheimers, en konden ze iets regelen. Nu werken ze door het hele land en krijgen mensen met schulden meer deurwaarders aan de deur.' Grote schuldeisers zorgen voor druk door deurwaarders te laten werken met *no cure, no pay*-contracten. Overigens ziet ze een tegentrend. Onder andere doordat een commissie die de wet evalueerde de deurwaarders op de vingers heeft getikt dat ze de wettelijk opgelegde onafhankelijke positie niet uit het oog mogen verliezen. Van den Berg: 'Het gaat om de visie op de taakuitoefening. Is de deurwaarder een handhaver die int voor de schuldeiser, zo nodig onder dwang, ongeacht de consequenties voor de schuldenaar? Of is hij een probleemoplosser die ook de belangen van de schuldenaar dient?'

Dat laatste betekent bijvoorbeeld geen beslag leggen als er niets te halen valt. Van den Berg: 'Dus niet bij een gezin dat niets heeft de tweedehands computer van de kinderen het huis uit dragen.' Beslag leggen zorgt bovendien voor kosten die verhaald worden op de schuldenaar, waardoor die nog verder in de problemen wordt gedrukt. 'De deurwaarder komt minimaal eenmaal aan huis als de dagvaarding wordt overhandigd, hij kent de situatie, kan wijzen op consequenties. De schuldeiser is de baas, maar een goede deurwaarder adviseert over de aanpak.'

Schuldeisers eisen terecht hun geld op, daarover mag geen misverstand bestaan wat Van den Berg betreft. 'We leven in een rechtsstaat, de norm is dat afspraken worden nagekomen. Deel van het verhaal is dat mensen makkelijker schulden maken, fraude plegen en niet terugbetalen. Met een groot plasmascherm in huis wentelt men zich in slachtofferschap en is de deurwaarder de boeman. Dit gedrag van schuldenaren draagt bij aan verharding van de incasso.' Letterlijk; deurwaarders hebben te maken met veel agressie. Op het lijstje van geweld tegen ambtenaren in functie staat niet het ambulancepersoneel of de politieagent bovenaan maar de deurwaarder, weet Van den Berg. 'Die is de kwade genius. Dat is een fout beeld. Hij vertegenwoordigt het recht.'

Tegelijk stelt ze vast dat mensen heel makkelijk krediet krijgen en worden aangezet tot consumeren, door de Dirk Scheringa's en door premier Rutte, on-

nemen? ja, als ze zich onafhankelijker opstellen en de macht van schuldeisers aan banden wordt gelegd. Deurwaarders hebben het contact en zien het gedrag.'

De schuldhulp is erg procedureel, bevestigt Van den Berg, 'gekmakend' zelfs. Maar om in plaats daarvan schuldenaren door de deurwaarder de biecht te laten afnemen en waar berouw is schuld kwijt te schelden, gaat haar een stap te ver. 'Dat zijn te veel de termen van een geestelijke.' De rol van de deurwaarder ligt eerder bij signaleren en meedenken over oplossingen. Ze is zeker te vinden voor het idee van een schone lei en nieuwe kansen voor schuldenaren. 'Niet als een recht – dat leidt alleen maar tot claimgedrag. Het stimuleert bovendien het consumptieve gedrag als men weet dat er aan het eind toch wordt kwijtgescholden. Nogmaals: maak onderscheid. Ik ga niet betalen voor iemand die wel kan maar niet wil.'

Nu draaien de schuldeisers op voor kwijtgescholden schulden. Een alternatief is een fonds oprichten, gevuld met belastinggeld en contributies van grote schuld-eisers, dat à la Jezus schulden op zich neemt. Ik wijs op de actie van de gemeente Rotterdam, die in 2011 van 2500 mensen de zorgpremieschulden overnam. Van den Berg heeft veel twijfels. 'Een fonds? En wat krijg je dan: beheer, toezicht, verantwoording en controle opdat er maar geen geld verkeerd terechtkomt.'

Ze verwijst me door naar een deurwaarder die bereid is buiten de gebaande paden te denken. Bram Buik heeft met twee compagnons een praktijk in Leiden en omgeving, en geeft deurwaarders in opleiding les in ethiek. Hij ontvangt me op zijn kantoor, waar de receptie achter gepantserd glas zit en de deuren vergrendeld zijn. Buik knipoogt: 'We zijn wel deurwaarders.' Hij zegt erbij dat zíj weinig last hebben en dat hij vermoedt dat sommige deurwaarders agressie over zich afroepen. 'Een deel van hen ziet het werk als een strafexpeditie.'

De toon is gezet – Buik is een opgewekte maar kritische deurwaarder. Zijn

klanten zijn woningcorporaties, onderwijsinstellingen zoals een ROC, kinder-
opvangbedrijven, tandartsen, middenstanders als een elektronicazaak en een gara-
ge, grote bedrijven en enkele gemeenten, onder andere voor onterecht uitgekeerde
bijstand. De strategie verschilt per schuldeiser, zegt Buik. 'Corporaties willen dat
wij wanbetalers opzoeken en zo nodig verwijzen naar hulp. Een telecombedrijf
vraagt om een routineaanpak. Wij maken afspraken met opdrachtgevers. Met
bodemprijzen kan je niet veel doen.'

Bij sommige mensen komt hij al dertig jaar aan de deur. 'In een gezin in
Slaaghwijk heb ik de nu volwassen kinderen in de wieg zien liggen. Als ik tante Ans
op haar brommertje in de stad tegenkom, zwaait ze vrolijk: "Dag meneer Buik".'

Voor het merendeel zijn het sociaal niet-vaardige mensen, vertelt Buik: 'Laag-
geletterd, met beperkte cognitieve vermogens, niet weerbaar.' Hij wijst op het
boek *Schaarste* van de Amerikanen Mullainathan en Shafir, met de ondertitel
Hoe gebrek aan tijd en geld ons gedrag bepalen. Buik: 'Dat kan je vertalen als:
waarom arme mensen domme dingen doen. Zonder geld is er voortdurend ge-
doe – rekeningen, aanmaningen, instanties, en als de wasmachine dan stukgaat,
ga je domme dingen doen zoals een nieuwe kopen op een dure afbetaling. Dan
zit je in de problemen.'

'Voor de meeste Nederlanders is eigen verantwoordelijkheid normaal, maar
voor sommige mensen is dat te veel gevraagd.' Hij schat dat twee derde van de
mensen met schulden in die categorie valt. 'Er is maar een kleine groep die met
het vooropgezette doel om zich te verrijken zijn rekeningen niet betaalt.'

Buik kan zich vinden in het onderscheid tussen niet-kunners en niet-willers.
Schuld is vaak een symptoom, niet het echte probleem, stelt hij. 'Bij blind schuld
innen, duw je mensen verder in de problemen en worden de risico's afgewenteld
op de samenleving. Bijvoorbeeld in de vorm van een groter beroep op bijzondere
bijstand en meer hulpverlening.'

Als schuldenaren niet-kunners zijn, heeft de deurwaarder dan niet een verantwoordelijkheid om hen te helpen? Buik houdt de boot af. 'Dat is gevaarlijk
terrein. Ik wil ze adviseren hulp te zoeken, maar ik ga ze niet onderhouden over
positieve veranderingen – moraliseren ligt niet op onze weg.' Hij vertelt dat deurwaarders jaarlijks dertig punten moeten halen aan nascholing. Voor een juridisch
vak krijgen ze één punt, voor een sociaal vak een halve. Recent is de waardering
voor de training zelfmoordpreventie met een halve punt opgetrokken naar een

hele. 'Dat is veelzeggend. Er is aandacht voor dit onderwerp. Deurwaarders

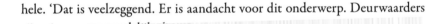

de deur waarder als biechtvader? Buik moet grinniken bij het idee. 'Ik sprak een getrouwde vrouw, een goed katholiek, die vreemdging. Ik zei: "Dat mag toch niet van het geloof?" Haar antwoord: "Ik biecht toch!" Als het zo gemakkelijk kan, dan stelt het niets voor. Wat ik bedoel: is de morele boetedoening niet wat te gemakkelijk? Je mag er niet zomaar mee wegkomen!' Niettemin is het zijn stellige overtuiging dat de deurwaarder de komende tien jaar een andere en grotere rol in de schuldaanpak zal gaan spelen. 'We zullen ook bewindvoerder worden. Die neemt het beheer over van de schuldenaar, bemiddelt en onderhandelt en saneert schulden. Voor veel deurwaarders is dat een gruwel; zij willen vorderingen incasseren, niet saneren.'

Verrast over wat ik gehoord heb, wandel ik door het oude centrum van Leiden. Bram Buik biedt doorkijkjes naar vernieuwing. Hij legt de vinger op de zere plek, het piept en knarst in de schuldketen doordat met juridische middelen sociale problemen moeten worden opgelost. Het zoeken is naar een verbinding tussen die denkwerelden. Met termen als 'berouw' en 'spijt' kan de deurwaarder niet uit de voeten. Iedereen praat over de eigen verantwoordelijkheid en over niet-kunners. Het gaat uiteindelijk over gedrag. Zit daar dan het aangrijpingspunt?

Gedragsverandering als crux

Ja, zegt Jan Rous, tegen het eind van ons gesprek. 'Het gaat om gedrag, maar dat zien we over het hoofd.' Rous is manager klant en gebied van woningcorporatie Portaal. Een grote club met 7400 woningen in Leiden en 56.000 in heel Nederland. Woningcorporaties behoren tot de grote schuldeisers. Ze hebben een sociale opdracht en voeren daardoor waarschijnlijk een wat doordachter incassobeleid. Voor deze zoektocht is dat een pre.

Rous, 48 jaar, Amsterdammer, is een enthousiaste verteller. Met een paar grote streken zet hij uiteen hoe Portaal wanbetalers benadert. Samen te vatten met 'preventieve actie'. Wie niet op tijd de huur overmaakt, krijgt meteen een aanmaning, als daarop geen reactie volgt, wordt er gebeld en zo nodig komt er een 'woonadviseur' op bezoek. Op dat moment is de achterstand anderhalf, hoogstens twee maanden. Rous: 'In het contact is "eigen kracht" het uitgangspunt. De woonadviseur zegt tegen de huurder: "U heeft een probleem, dat moet u zelf oplossen".' Gevraagd wordt naar het eigen netwerk, en in ieder geval moet de lopende huur betaald worden. 'Sinds een jaar of twee hebben we het in de klauwen.'

Hij vertelt dat de sociale instellingen in de stad Portaal een paar jaar geleden verweten huurders te snel uit hun huis te zetten. Dat vonden ze bij Portaal makkelijk praten, want het ging niet om hún geld. Omgekeerd waren ze bij Portaal narrig gezien de schuldhulpverleners die met schuldsaneringen kwamen op kosten van de corporaties. Nu is er een convenant 'voorkomen huisuitzettingen', met de GGD, het maatschappelijk werk en de Stadsbank. Onder andere over een doorverwijzing van wanbetalers naar de (schuld)hulpverlenende partijen, waardoor corporaties zelf bepalen wie er eventueel een sanering krijgt.

Heel veel beleid dus. Toch werden er in 2013 zestien huishoudens uit hun huis van Portaal gezet. Sociaal een drama, maar financieel ook. De directe kosten – deurwaarder, rechtbank, politie, officier van justitie, reiniging, boedelbeheer, corporatie – tellen op tot zo'n 20.000 euro, weet Rous. Vervolgens moeten die mensen toch weer aan opvang worden geholpen en volgt vaak meer hulpverlening. Dan tikt de teller hard door.

Op dat moment in het gesprek leunt Rous achterover en steekt hij zijn handen in de lucht. Zegt dat hij de ontnuchterende conclusie moet trekken dat er in de keten rond schuld veel geld wordt rondgepompt, zonder dat het echte probleem effectief wordt aangepakt. 'Iedereen is bezig met juridische kwesties, er gebeurt te weinig aan gedragsverandering. Dat is: de betrokkene helpen en leren de tering naar de nering te zetten. De Stadsbank zet tegenwoordig mensen in van Humanitas en Schuldhulpmaatje die de mensen thuis ondersteunen. Dat zijn vrijwilligers.' Het is ironisch, zegt Rous. Al die professionals zijn druk bezig, maar voor het echte werk zijn we afhankelijk van amateurs.

Het echte werk zijn dus niet de schulden, die staan juist de aandacht voor

om te selecteren op niet-kunnen en op zelfinzicht in de eigen rol in de schulden. Rous realiseert zich dat het wild denken is, maar wordt enthousiast van het idee. 'Van die zestien huisuitzettingen hadden we er een aantal zo kunnen voorkomen. Maar oh oh, op deze manier kwijtschelden, dat vereist een cultuuromslag van hier tot ginder. Op de centrale inning van Portaal zullen ze meteen "Nee, ho, stop" roepen. Zij willen eenduidige regels en procedures.'

'De crux is het gedrag', zegt ook Janine Schipper. 'Dat moet veranderen, en dat is heel lastig. Wij zijn daar niet mee bezig.' Het is een paar dagen later en ik ben neergestreken in Zevenaar, bij Arnhem. Als slot van mijn zoektocht wil ik toch nog een keer bij schuldhulpverleners kijken. De werkwijze hier is in grote lijnen gelijk aan wat ik op mijn cursusavond in mijn woonplaats zag. Schipper (45), een van de vier schuldhulpverleners bij de gemeente Zevenaar, legt uit dat de nieuwe wet van 2013 het kader geeft: de toegang is strenger en het traject is selectiever geworden. 'Wij zijn financieel-juridisch bezig. Wij zijn geen maatschappelijk werker en geen psychiater, daarnaar verwijzen we eventueel door. Wij zijn schuld-hulpregelaars, we moeten zakelijk zijn. Als cliënten hun afspraken niet nakomen, is het op een gegeven moment afgelopen.' Ze is even stil. Vult aan: 'Je moet het sociale wel in het oog houden. Ga er maar van uit dat we daarin heel ver gaan.'

Dat is nodig, want hun cliënten willen als ze zich aanmelden vooral rust. 'Ze voelen zich op de huid gezeten door instanties, rekeningen, aanmaningen. Die zijn niet bezig met een schuldenvrije toekomst. Die zijn bezig met nu. En dan kom ik met mijn begroting en aflossingsruimte...'

Het draait uiteindelijk om aanpassing van gedrag en levensstijl, stelt Schipper. In het team missen ze een bewindvoerder en een inkomensbeheerder, al kunnen ze wel doorverwijzen. De eerste neemt het financiële beheer over en kan de cliënt in het gareel dwingen. Een inkomensbeheerder helpt de administratie op orde te krijgen en te houden. 'Natuurlijk geef ik cliënten tips, en motiveer en stimuleer ik, maar ik houd niet hun hand vast en kom ook niet bij ze thuis.' Voor dat laatste kunnen ze af en toe vrijwilligers van Schuldhulpmaatje inzetten. Die helpen met gedragsverandering. Daarin schuilt ook een risico, aldus Schipper. Namelijk dat de schuldenaar zich laat pamperen. 'Waar blijft dan de eigen verantwoordelijkheid?'

Daar is-ie weer: de 'eigen verantwoordelijkheid'. Schipper vindt het belangrijk. 'Ik wil inzet zien, niet alleen zieligheid. Ik wil ze niet behandelen als slachtoffer.' Ze vertelt dat een cliënt laatst op de afspraak vertelde dat hij gestopt was met roken. 'Enorm trots. Een stimulans voor het zelfvertrouwen.'

Zelfinzicht is cruciaal, beaamt ze. 'Als ik dat zie, dan ga ik meteen harder trekken aan een gunstige regeling. Dan weet ik: hier is verandering mogelijk.' Maar het hobbelige juridische traject vervangen door kwijtschelding op basis van een biecht op berouw en zelfinzicht, daarvan wil ze niet weten. 'Uitgangspunt moet blijven dat schuldeisers hun geld krijgen. Zij hebben iets geleverd. We zitten in een financieel systeem – van spijt en moraal kan je niet leven.'

Bovendien, in de huidige schuldhulpverlening worden ook schulden kwijt-gescholden of in ieder geval flink gesaneerd. 'Ook met onze juridische aanpak kan je schuldenaren een nieuwe toekomst geven. Er zijn uitvallers, maar ook veel successen.'

Leren leven in een complexe wereld

In de trein terug zit ik te mijmeren over mijn zoektocht. Ik ben zonder meer overtuigd van de betrokkenheid van de schuldhulpverleners in Zevenaar – als schuldenaar zou ik me bij hen in goede handen weten. En ik ga ervan uit dat dat elders in het land niet anders is. Toch heb ik de afgelopen weken de indruk gekregen dat er in schuldhulpland niet alleen financiële middelen worden rond-gepompt – zie Jan Rous – maar ook hulpzoekenden. Van deurwaarder naar schuldhulp naar sociale hulp, naar bewindvoerder en weer naar schuldhulp. Ieder heeft zijn specialisme. Ik hoorde op mijn rondgang dat de integrale wijkteams, die overal in het land geïntroduceerd worden, in veel gevallen ook schuldhulp zullen meenemen. Dat lijkt me een heel goed plan. Met hulpverleners die al in de eerste contacten ook doorvragen naar de financiën kan je er bovendien vroeg bij zijn.

Bij aanvang vroeg ik me af: Kan het menselijker? Van alle kanten ben ik gewezen

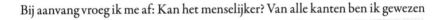

Maar ik heb ook een ongemakkelijke ontdekking gedaan – eigenlijk een open deur. Met alle aandacht voor de financiële aspecten is uit het oog verloren dat schuld over gedrag gaat – preciezer: over verkeerd gedrag en de bereidheid tot zelfinzicht. Zouden we het niet moeten hebben over gedragsverandering en vooral over de vraag hoe die te bewerkstelligen? Leren de tering naar de nering te zetten, zoals Jan Rous van Portaal dat formuleerde. Leren leven in een ingewikkelde wereld. Natuurlijk speelt ook hier de eigen verantwoordelijkheid, maar als die – al dan niet tijdelijk – niet waargemaakt kan worden, moeten anderen die verantwoordelijkheid overnemen.

Dit is een taak voor professionele hulpverlening, lijkt Rous te suggereren met zijn verontwaardigde vaststelling dat we het echte werk overlaten aan amateurs. Dat lijkt me een glibberige weg. Door de staat gefinancierde professionals moeten niet gaan moraliseren over wat goed en wat verkeerd gedrag is. Opvattingen daarover horen in het particuliere domein, dat is inderdaad het werk voor amateurs. En dan wordt het schraal. De tijd van gemeenschappen waarin men elkaar bij de hand nam, is voorbij. Dat heeft voordelen, maar ook nadelen. Janine Schipper maakte een opmerking die me erg is bijgebleven: 'Mensen die aankloppen bij schuldhulp hebben geen netwerk, anders zaten ze hier niet.'

Terwijl groen voorjaarslandschap aan me voorbijschiet, realiseer ik me dat we nog heel veel schuldhulp- en andersoortige maatjes nodig zullen hebben.

'Iwan blijkt de ideale dader: hij betaalt per omgaande berouwvol de schade die hij heeft aangericht en biedt omstandig zijn excuses aan. Tussen beide mannen klikt het na de afhandeling van de reclasserings-rapportage zo wonderwel dat ze gezworen kameraden worden. Geen groter solidariteit dan tussen vrachtwagenchauffeurs. Ik bespreek in opperste harmonie de strafzaak met de officier. Hij belooft dan ook de zaak op de zitting coulant af te handelen en een lichte straf te eisen. Ook hij vindt het "niet opportuun" om dit *happy end* met een zware douw te bederven.

Maar dan is de zitting daar. Iwan is die ochtend, uiteraard gesecon-deerd door zijn slachtoffer, optimistisch op pad gegaan. Er is evenwel een andere officier van justitie, die blijkbaar niet op de hoogte is van de afspraken die met zijn collega zijn gemaakt. Hij eist onverwacht een flinke straf. Iwan kijkt hulpeloos in mijn richting. Als ik opsta om mijn reclasseringswoordje te doen, springt plots het slachtoffer op van de publieke tribune. Hij beent verontwaardigd naar voren, duwt mij opzij, gaat naast Iwan op het beklaagdenbankje zitten en slaat zijn arm om diens schouders. Hij richt zich tot de politierechter en roept verontwaardigd: "Zeg, waar zijn jullie nou helemaal mee bezig? Moet die jongen hiero soms zijn baan kwijtraken of zo?"' (Trees Roose, reclasseringsmedewerkster (Roose 2010, p. 15)).

Iwan en zijn slachtoffer hebben hun conflict in het directe contact opgelost, waarmee zij zich beiden hebben bevrijd van hun rol van dader respectievelijk slachtoffer. Verdient Iwan alsnog een straf op grond van het formele strafrecht?

Wat heeft het slachtoffer hierover te zeggen? En zal die straf bijdragen aan vergelding, preventie en resocialisatie?

In dit hoofdstuk gaan we in op enkele vraagstukken die in dit niet-fictieve
voorbeeld samenkomen. Daarbij is de vraag richtinggevend hoe delinquenten
kunnen worden 'ontgijzeld' van schuld en hoe het evenwicht tussen dader en
slachtoffer in balans kan worden gebracht. We bespreken enkele belangrijke
beleidsontwikkelingen die met deze vraag samenhangen, zoals de verbetering
van de positie van slachtoffers in het strafproces en de voorzichtige opkomst
van herstelrecht. Geeft het recente beleid ook voldoende antwoord op de vraag
naar wat nodig is voor herstel en voor een effectieve afhandeling voor zowel het
slachtoffer, de dader als de gemeenschap? En hoe verhoudt een herstelbenadering
zich tot het strafrecht?

In het algemeen wordt ervan uitgegaan dat het strafrecht niet alleen het doel
dient van vergelding, maar ook bijdraagt aan generale preventie (het voorkomen
van misdaden bij potentiële delinquenten), speciale preventie (gericht op het
individu dat met justitie in aanraking is geweest) en resocialisatie. Daarbij geldt
het klassiek-liberale uitgangspunt dat er geen straf wordt opgelegd zonder schuld.
Voormalig minister van Justitie Winnie Sorgdrager (2013) stelt dat het evenwicht
tussen de strafdoelen naar tijd en plaats verschilt. Soms ligt de nadruk op preventie
en resocialisatie, zoals in de jaren zeventig en tachtig van de vorige eeuw, en soms
meer op repressie en vergelding, zoals in het huidige tijdvak. Organisaties in de
justitieketen, zoals de reclassering, bewegen daarin mee.

In het strafrechtproces zijn van oudsher de belangen van de verdachte goed
beschreven en gewaarborgd. Voor de slachtoffers was dat lange tijd niet zo. Op
beleidsniveau wordt momenteel gezocht naar manieren om de belangen van
daders en slachtoffers meer met elkaar in evenwicht te brengen.[1]

Hoewel dader en slachtoffer door het delict aan elkaar zijn verbonden, is er
naar onze mening geen sprake van een gelijkwaardige relatie tussen beide partijen.
De dader heeft – gewild of ongewild – de waardigheid van het slachtoffer en
diens rechten aangetast. Of, zoals de Tilburgse jurist Groenhuijsen stelt: 'Wij
hebben altijd gewerkt vanuit de gedachte dat je moet kijken naar wat de essentie
van slachtofferschap is. En zoals wij dat zien, is dat een geschokt vertrouwen in
de berekenbaarheid van de wereld. Mensen is een delict overkomen, zij hebben
zich dan vergist in de houding die anderen tegenover hen aannemen en die ver-

trouwensschok leidt tot onzekerheid, tot de gedachte: als ik me nou op dit punt

alleen maar zo gemakkelijk mogelijk vanaf wil komen en dus probeert om zijn schuld te minimaliseren. Deze beelden zijn te simpel. Er is een grote variatie in slachtoffers en daders. Er zijn slachtoffers die een hoge mate van vergeving kunnen opbrengen, en er zijn daders die gebukt gaan onder een groot schuldgevoel. Het gevaar bestaat dat professionals 'denken voor' slachtoffer en dader en die niet onderzoeken of navragen hoe het in een concrete situatie speelt. Want de belangen van slachtoffers en daders kunnen ook in elkaars verlengde liggen: het slachtoffer heeft belang bij herstel van de (im)materiële schade en de dader is gebaat bij een aanpak die hem mogelijkheden biedt om zijn leven zodanig te veranderen dat hij weer als een volwaardig lid van de samenleving door kan gaan. Herstellen van relaties, ook met het slachtoffer, is hiervan een onderdeel. 'De balans tussen de belangen van de dader en de belangen van het slachtoffer is in de huidige situatie uit evenwicht en moet dus meer in balans komen. De belangen van daders worden reeds op vaste momenten in de fase van tenuitvoerlegging gewogen[3], het is belangrijk dat op die momenten ook de belangen van het slachtoffer gewicht in de schaal gaan leggen. Deze afweging van belangen kan dus zowel "in het voordeel" van de dader als "in het voordeel" van het slachtoffer uitvallen. Het doel is: evenwicht in de belangenafweging zelf' (Ketenwerkgroep slachtoffers en tenuitvoerlegging 2012).

Een nieuwe, met het voorgaande samenhangende trend is de in de justitieketen recent ingevoerde ZSM-werkwijze[4]. Politie, Openbaar Ministerie, Reclassering, Slachtofferhulp Nederland en de Raad voor de Kinderbescherming pakken met ZSM veelvoorkomende criminaliteit 'Samen op Snelle, Slimme, Selectieve, Simpele en Samenlevingsgerichte' wijze aan. Dat wordt gezien als een belangrijk signaal aan daders, slachtoffers en de samenleving. Het doel is een hogere effectiviteit van de straf, lagere kosten en een groter gevoel van veiligheid bij burgers. Op de website van het Openbaar Ministerie is vermeld: 'In de ZSM-werkwijze wordt na aanhouding van de verdachte zo spoedig mogelijk een beslissing genomen over het afdoeningstraject. Het gaat hierbij om betekenisvolle interventies, waarbij verdachten een passende reactie krijgen, recht wordt gedaan aan slachtoffers en de buurt merkt hoe snel daders worden gecorrigeerd.'[5,6] In deze formulering is meer dan voorheen rekening gehouden met het slachtoffer en de gemeenschap, hoewel men er ook uit zou kunnen lezen dat slachtoffers en de gemeenschap vooral de rol van toeschouwer krijgen toebedeeld. Of ZSM een opmaat kan zijn voor een meer herstelgerichte benadering, waarin ook de thema's schuld en schaamte de plaats krijgen die ze verdienen, zal afhangen van de manier waarop de betrokkenen dit uitvoeren. Voordat we hierop nader ingaan iets meer over de relevante ontwikkelingen in het ministeriële beleid rond slachtoffers in het strafrecht.

Slachtoffers in het strafrechtelijk beleid

'"Het zijn de kleine dingen die erin hakken", vertelt een slachtoffer bij een bijeenkomst met alle partijen die betrokken zijn bij een strafproces' (Nationale Ombudsman 2012, p. 1).

Naast de prioriteiten van re-integratie van delinquenten en vermindering van hun kans te recidiveren, richt het ministerie van Veiligheid & Justitie zich de afgelopen decennia op versterking van de rol van slachtoffers in het strafrechtproces. In de jaren tachtig leidde dit tot verschillende richtlijnen van het Openbaar Ministerie om de bejegening van slachtoffers te verbeteren. Vanaf 1992 kregen slachtoffers meer mogelijkheden om een schadevergoeding te vorderen (Wet Terwee). Vanaf 2004 kunnen slachtoffers van ernstige delicten een schriftelijke slachtofferverklaring indienen voor de rechtszaak en in 2005 kregen ze spreekrecht. Het slachtoffer had echter nog geen zelfstandige en wettelijk geregelde positie in het strafrecht.

Met de *Wet versterking positie slachtoffer* van 2010 is dit veranderd. Hierin zijn onder meer het algemene recht op correcte bejegening en het recht op informatie sterk verruimd. Ook is de mogelijkheid tot schadevergoeding vergroot en verbeterd. Op 1 januari 2011 is deze wet in werking getreden, waarmee het slachtoffer een eigen positie in het strafrecht heeft gekregen. Tevens is een aantal rechten die eerst alleen in beleidsregels stonden in de wet opgenomen. Hiermee is de

managementteam van Reclassering Nederland stelde in 2012 vast dat *mediation* goed past bij haar visie, aangezien de dader verantwoordelijkheid voor zijn delict kan nemen door hieraan mee te werken.

In het voorjaar van 2013 kondigde de staatssecretaris, in een aangescherpte visie op de positie van slachtoffers, meer versterkende maatregelen aan. Onder andere door betere informatievoorziening, meer mogelijkheden tot schadevergoeding en uitbreiding van het spreekrecht van slachtoffers tijdens de zitting.

De recente beleidsontwikkelingen lijken voort te komen uit twee denkramen, die elkaar raken en tegelijkertijd van elkaar te onderscheiden zijn. Het ene is de publieke en politieke (en ook moreel te rechtvaardigen) wens om slachtoffers meer stem en meer rechten te geven in het strafrechtproces van de dader. Het andere is het herstelrecht, waarbij niet een van de partijen centraal staat maar waar het draait om de basisvraag in hoeverre de (justitiële en/of andere) activiteiten bijdragen aan het herstel van slachtoffer, dader en gemeenschap.

De vraag is of beide invalshoeken tot een consistent geheel te verenigen zijn, of dat het beleid vooral gericht blijft op de formele verbetering van slachtoffers in het strafrechtproces. De overwegingen voor dat laatste zijn tot dusver niet in hoofdzaak gericht op de vraag hoe schuld en schaamte met elkaar zijn verbonden en hoe herstel mogelijk is van de relatie tussen slachtoffer en dader en van de relatie van de dader met de samenleving. Daardoor blijven er kansen liggen voor een effectieve afhandeling van een strafzaak, voor zowel het slachtoffer, de dader als de gemeenschap.

Herstelrecht als alternatief?

'Het gesprek met het slachtoffer heeft meegeholpen om mijzelf beter te leren kennen. Ik vraag me continu af waarom ik dit in vredesnaam heb gedaan. Mijn zaak moet nog voorkomen, maar welke straf ik ook krijg: ik vind dat ik het verdiend heb. Samen met de reclassering werk ik eraan om "nee" te leren zeggen. En de schade die Bastiaan geleden heeft, wil ik vergoeden' (www.slachtofferinbeeld.nl).

Internationaal zijn er veel definities van herstelrecht in omloop. Een belangrijke grondlegger van *restorative justice* (in het Nederlands 'herstelrecht'), de Amerikaanse criminoloog Howard Zehr, formuleerde de volgende werkdefinitie: 'Restorative Justice is a process to involve, to the extent possible, those who have a stake in a specific offense and to collectively identify and address harms, needs, and obligations, in order to heal and put things as right as possible' (Zehr 2002, p. 37). Ook de Verenigde Naties formuleerden een definitie die algemeen genoeg is om de vele varianten te kunnen omvatten: 'A restorative process is any process in which the victim and offender and, where appropriate, any other individuals or community members affected by a crime participate together actively in the resolution of matters arising from the crime, generally with the help of a facilitator' (United Nations 2006).

Waar in het reguliere strafrecht een 'dader' centraal staat, is herstelrecht gericht op de perspectieven van alle drie partijen: slachtoffer, gemeenschap en dader. Men spreekt in dit verband over de hersteldriehoek. Bij de 'gemeenschap' gaat het erom mensen erbij te betrekken voor zover zij te maken hadden met het conflict.

Bij delicten die samenhangen met langdurige conflictueuze relaties is de grens tussen dader en slachtoffer niet altijd scherp te trekken. Rollen kunnen wisselen of elkaar versterken. De hersteldriehoek kent de volgende perspectieven:

» vanuit het slachtoffer: versterken, genoegdoening, compensatie en herstel;
» vanuit de gemeenschap: steun bieden bij de behoeften en verplichtingen van de betrokkenen en rechtzetten en herstel (vrede en verzoening);
» vanuit de dader: begrijpen, schuld en verantwoordelijkheid.

Participatie, herstel, ervaringen, emoties, behoeften en interpretaties van partijen

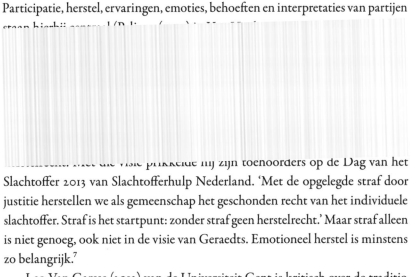

Slachtoffer 2013 van Slachtofferhulp Nederland. 'Met de opgelegde straf door justitie herstellen we als gemeenschap het geschonden recht van het individuele slachtoffer. Straf is het startpunt: zonder straf geen herstelrecht.' Maar straf alleen is niet genoeg, ook niet in de visie van Geraedts. Emotioneel herstel is minstens zo belangrijk.[7]

Leo Van Garsse (2012) van de Universiteit Gent is kritisch over de traditionele strafrechtspleging die zich door haar aard (opsporing en berechting van de dader) *tussen* dader en slachtoffer plaatst, waardoor hun belangen los van elkaar worden geformaliseerd. Op die manier worden ook de beroepsgroepen die zich op dit terrein bewegen van elkaar gescheiden, als gevolg waarvan de relatie tussen dader- en slachtofferhulp wordt gepolariseerd. Voor Van Garsse is dit de basis voor onduidelijkheid rond slachtoffer-daderbemiddeling en in het bijzonder voor het concept 'herstel'. 'Positief gesteld zou men de verwachtingen ten aanzien van de aangeboden mogelijkheid tot communicatie kunnen definiëren als: het herwinnen van de capaciteit van het zich "her-stellen", het zich herpositioneren ten aanzien van de feiten en hun gevolgen zodat deze op een zinvolle manier een plaats kunnen krijgen in het eigen leven' (Van Garsse 2012, p. 64). Maar hij stelt ook: 'Wie vraagt om bemiddeling stelt zich kwetsbaar op. Hij articuleert een behoefte die hem in zekere mate afhankelijk maakt van de andere partij. Hij loopt het risico op een weigering te stuiten.'

Ter compensatie van de beperkingen van de strafrechtelijke interventie – overbelasting, geringe betrokkenheid en schadelijke neveneffecten – zijn er inmiddels wereldwijd alternatieven ontwikkeld die vallen onder de noemer herstelrecht. Binnen diverse varianten wordt gekeken of:

» de afdoening eenvoudiger en zonder tussenkomst van reguliere strafrechtelijke instituties kan, bijvoorbeeld bij vergrijpen van relatief licht van aard zoals een eenvoudige vernieling;

» de afdoening meer gericht kan zijn op de behoefte, bijvoorbeeld compensatie van de schade, bij de directbetrokkenen;

» het mogelijk is bij de afdoening meer rekening te houden met het herstel van de inbreuk die het delict had op zowel de directbetrokkene als zijn omgeving.

De hiervoor laatstgenoemde activiteit behelst meer dan aanpassing van werkprocessen, rollen en samenwerkingsafspraken. Het vereist professionals die zich kunnen en durven verdiepen in de gevoelens van schuld en schaamte van de daders en in de kwetsing en behoeften van slachtoffers.

Schuld en schaamte van de dader

'Ik denk', zei de advocaat, 'dat hij bang is voor de schande.'

'Onzin', zei de politierechter. 'Die is er toch al.'

'Heb ik ook gezegd', zei de advocaat. 'Toen zei hij, dat hij die vijfhonderdzestig gulden, die hij niet gestolen had, tòch terug zou betalen, omdat hij financieel wilde vergoeden wat hij moreel had misdaan' (Lamers 1959, p. 74).

Als iemand zich er welbewust van is dat hij een slachtoffer heeft gemaakt, kan hiervan een sterke motivatie uitgaan om te veranderen. Schuld en schaamte zijn voor veel daders een last waar zij vanaf willen. Hoewel veel slachtoffers van kleine criminaliteit vooral gebaat zijn bij een correcte bejegening vanuit politie en justitie (Ten Boom & Kuijpers 2007, p. 41), kan het ook hierbij voor de daders belangrijk zijn slachtofferbewustzijn te bevorderen. Werken aan dergelijk bewustzijn betekent daders helpen om toekomstgerichte verantwoordelijkheid te ontwikkelen. Dat wil zeggen dat zij zich ervoor verantwoordelijk voelen moeilijkheden te overwinnen en het eigen gedrag te veranderen. Slachtofferbewustzijn bij de dader ligt daarmee in het verlengde van een kerndoel van justitie en de reclassering: verminderen van recidive. Slachtofferbewustzijn is het besef dat de dader met zijn handelen anderen schade heeft berokkend. Dat besef is niet voor alle delinquenten vanzelfsprekend.[8, 9] Slachtofferbewustzijn is gebaseerd op het

en uiteindelijk op de dader (en diens sociale context) zelf.

Anderen spelen volgens Weijers (2000, p. 154) zowel bij schaamte als bij schuldgevoel een cruciale rol: 'In beide gevallen lijkt het besef dat men negatief wordt beoordeeld door een publiek doorslaggevend, alhoewel dat ook een imaginair publiek kan zijn, dat dus niet fysiek aanwezig is of "echt kijkt".' Het gaat bij schaamte om een negatief moreel oordeel over de persoon. Bij schuldgevoel gaat het vooral om een daad of het achterwege blijven daarvan: 'Aan schuldgevoel kan in principe dan ook eenvoudiger worden tegemoetgekomen door iets te doen dat de fout herstelt – schade te vergoeden, excuus aan te bieden, spijt te betuigen – waarmee in de termen van het hierboven gehanteerde onderscheid de norm herbevestigd wordt (faalschuld) dan wel de ernst van wat men de ander heeft aangedaan wordt erkend (vereveningsschuld).'

De Australische criminoloog Braithwaite introduceerde tegen deze achtergrond de term *reintegrative shaming* als tegenhanger van *desintegrative shaming*. Bij beide vormen is er sprake van een afkeuring van het handelen van de dader, maar de re-integrerende vorm kent – anders dan de desintegrerende vorm – wel tegelijk het streven om respect voor de dader te behouden door hem de mogelijkheid te bieden weer opgenomen te worden in de gemeenschap (Walgrave & Braithwaite 1999).

Schaamte kan door het gevoel van schuld al aanwezig zijn bij een dader, maar kan ook worden bevorderd door de omgeving of doordat de dader in een strafproces terecht is gekomen. Schaamte kan worden 'bewerkt' door onder meer de reclassering, door het 'respectvol afkeuren' van de daad en tegelijkertijd de dader te helpen zijn leven een andere wending te geven, waarbij de eigen verantwoordelijkheid van de dader centraal staat (Krechtig 2009). Schuld*gevoel* kan plaatsmaken voor schuld*besef* en uiteindelijk voor het (weer) nemen van verantwoordelijkheid voor de gepleegde daad. Daarnaast kunnen slachtoffer-dadergesprekken bijdragen aan wederzijds begrip, het verminderen van gevoelens van angst bij slachtoffers en aan het 'ontgijzelen' van de dader van zijn schuld, waardoor er voor beide partijen ruimte ontstaat voor een nieuwe toekomst.

Op deze wijze met schuld en schaamte werken, verwijst naar een inhoudelijke, relationele kijk op herstel die wellicht rijker en effectiever is dan de meer formalistische benadering van het vigerende beleid. Vanuit het idee dat het meer kansen biedt − voor slachtoffer, gemeenschap én dader.

Behoeften van slachtoffers

'Door de dader te ontmoeten, kreeg hij eindelijk een gezicht. Daardoor is nu niet meer iedere klant een potentiële overvaller. En ik heb antwoord gekregen op de vraag waarom ze juist de snackbar hebben overvallen waar ik werk. Dat bleek puur toeval te zijn. Ik heb Jasper kunnen laten zien hoe mijn leven door de overval is veranderd' (www.slachtofferinbeeld.nl).

Bij deze relationele kijk op herstel past ook dat professionals zich meer dan oppervlakkig verdiepen in de kwetsing en behoeften van slachtoffers. Alleen formeel stimulerend beleid is niet genoeg.

De Nationale Ombudsman formuleerde na uitgebreide consultaties spelregels voor hoe overheidsorganisaties met slachtoffers van geweldsdelicten dienen om te gaan. Zij moeten onder meer begrip tonen voor de emoties van slachtoffers en hen uit eigen beweging informeren over hun rechten en de beperkingen daarvan, alsook over andere relevante zaken (Nationale Ombudsman 2012).

Volgens Ten Boom & Kuijpers (2007, p. 40) blijkt uit hun onderzoek dat slachtoffers 'de wet beter naleven indien zij het gevoel hebben dat zij rechtvaardig behandeld zijn en dat informatieverstrekking door politie en Openbaar Ministerie (OM) een positieve invloed heeft op het vertrouwen van het slachtoffer in deze autoriteiten. Rekening houden met behoeften van slachtoffers is dus van belang voor een goede relatie tussen slachtoffers en strafrechtspleging.'

Ook de analyse van de Leuvense criminoloog Daniela Bolivar (2010) is van belang, die laat zien dat de belangen van het slachtoffer soms gediend worden

door de wijze waarop instituties erkenning geven aan het aangedane leed en dat
dit ondersteunend kan zijn aan het herstel. In

[onleesbaar]

, omdat het slachtoffer afhankelijk is van
de bereidheid van de dader om de schade te vergoeden of van de dader en justitie
om het slachtoffer te erkennen in zijn behoeften.

De emotionele impact van een delict en de morele vragen die het oproept,
vereisen ook een *actieve* inzet van het slachtoffer. Herstel vraagt van het slachtoffer
dat hij de emoties die het delict heeft losgemaakt onder ogen ziet en bepaalt hoe
hij daarmee wil omgaan. Erkenning en excuses van de dader spelen hierin zeker
een rol, maar het slachtoffer moet hieraan zelf een vervolg geven.

Van Hoek en Slump (2013) stellen in een literatuuronderzoek over Nederland
en Vlaanderen dat behoeften van slachtoffers een grote variëteit vertonen en dat
het strafrecht hierin niet of slechts te dele voorziet. Het strafproces als zodanig
kan ook extra schade veroorzaken.[11] Goede informatievoorziening aan slachtoffers is van belang; zij moeten weten wat er mogelijk is, zodat zij hun behoeften
kenbaar kunnen maken.

Effecten van herstelrecht

'Toen ik hem zag, vroeg ik me af wie er nu eigenlijk zwaarder letsel had
opgelopen: hij of ik? Voor deze man hoefde ik niet bang te zijn. Hij
vertelde dat hij heel veel spijt had van wat er was gebeurd en dat hij alles
op alles wilde zetten om zijn leven weer op de rit te krijgen. Ik was blij
hem te kunnen vertellen wat voor mij de gevolgen waren van de overval.
Toen ik hem dat vertelde, schrok hij erg.

Na afloop van het gesprek was ik erg opgelucht en blij dat ik het
gesprek met de dader was aangegaan. Ik heb nooit meer voetstappen

gehoord, omdat ik nu een gezicht heb bij de dader. Dat alleen al is voor
mij hele grote winst. En ik weet dat hij oprecht spijt heeft van wat hij
heeft gedaan. Ik zou het slachtoffers altijd aanraden om het gesprek
aan te gaan met de dader, alleen al om je verhaal en je vragen kwijt te
kunnen. Het haalt de meest scherpe randen weg van wat er is gebeurd'
(www.slachtofferinbeeld.nl).

Slachtoffer-dadergesprekken worden in Nederland voor een belangrijk deel uitgevoerd door de stichting Slachtoffer in Beeld (zie: Elbersen 2013). Zebel deed
onderzoek naar de effecten van die gesprekken over de periode 2009 en 2010,
die op vrijwillige basis plaatsvinden onder begeleiding van professionele bemiddelaars. Om te voorkomen dat de gesprekken 'fout' lopen of dat er 'wraak' wordt
genomen, bereiden de bemiddelaars deze uitgebreid voor aan de hand van een
protocol. De gesprekken bieden slachtoffers en daders de mogelijkheid in te gaan
op hun onderlinge verhouding en op de meer morele aspecten en gevolgen van
het delict. De dader kan verantwoordelijkheid nemen tegenover het slachtoffer
en excuses maken (de bereidheid onder daders hiertoe is bij Slachtoffer in Beeld
een voorwaarde voor een slachtoffer-dadergesprek); het slachtoffer kan erkenning
krijgen en kan prangende vragen stellen. Op deze wijze kunnen slachtoffers en
daders op een persoonlijke manier reageren op het misdrijf en tegenover elkaar.
Een dergelijke mogelijkheid wordt in het strafproces in de regel niet geboden.
   Uit het onderzoek van Zebel blijkt onder meer dat enige ondersteuning wordt
gevonden voor de stelling: 'Het slachtoffer-dadergesprek geeft daders inzicht in
de gevolgen voor slachtoffers en dit raakt hen persoonlijk.' Daders schatten in dat
slachtoffers minder angst en woede ervaren na het gesprek, en dat komt overeen
met wat slachtoffers zelf rapporteerden. Het werd echter niet duidelijk of hier
een directe relatie lag met het bemiddelingsgesprek. 'Echter, er waren nog enkele
bevindingen onder daders die mogelijk iets zeggen over de inschattingen die daders
maken over slachtoffers na een slachtoffer-dadergesprek. De antwoorden van daders
over de gevolgen onder slachtoffers vertoonden na een slachtoffer-dadergesprek
een sterkere en significante samenhang met hoe zij naar zichzelf keken dan voor
het slachtoffer-dadergesprek. Met andere woorden: schatten zij een grote mate
van angst en woede in bij slachtoffers richting hen, dan keken zij ook negatiever
naar zichzelf. Schatten zij deze emoties als minder sterk in onder slachtoffers,

dan keken zij minder negatief naar zichzelf. Dit laat zien dat na een slachtoffer-
dadergesprek de ingeschatte gevolgen voor slachtoffers ~~~~~~~~~

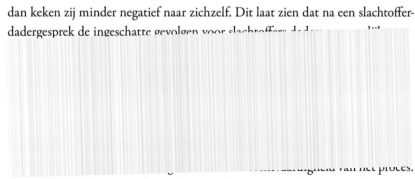

~~~~~~digheid van het proces.

Gesteld wordt dat in Nederland nog uitsluitend tevredenheidsonderzoek is
gedaan, maar dat het in principe mogelijk is een effectmeting te doen. 'Samenvat-
tend veronderstellen we dat het verhelderen van de gebeurtenis zelf tijdens het
slachtoffer-dadergesprek aanleiding is voor nieuwe beeldvorming over de gebeurtenis en in die zin een mediator is voor cognitief herstel. Het opnieuw beleven van
oude negatieve emoties en het ervaren van nieuwe positieve emoties bevorderen
het emotionele herstel. De ervaring van veiligheid, respect en vrijwilligheid
medieert het herstel van het zelfbeeld. En het moreel herstel ten slotte, wordt
gemedieerd door het aanbieden van de contactmogelijkheid aan het slachtoffer,
de confrontatie tussen slachtoffer en dader en het excuus van de dader gevolgd
door vergeving door het slachtoffer' (Van Burik e.a. 2010).

Naar een herstelgerichte benadering

Wij begonnen ons betoog met Iwan en zijn slachtoffer, die hun conflict in hun
directe contact met elkaar hadden opgelost: het slachtoffer springt zelfs in de bres
voor de dader. De dader is 'ontgijzeld' van zijn schuld, zo lijkt het, en het evenwicht
tussen dader en slachtoffer is hersteld. Toch blijven in deze zaak het strafrecht
en de rechter niet buiten beeld. Integendeel: er wordt alsnog een (geringe) straf
geëist en opgelegd. Recht doen vraagt kennelijk meer dan alleen herstel.

Het overheidsbeleid heeft zich er de afgelopen jaren in toenemende mate op
gericht het slachtoffer te betrekken bij de strafrechtspleging en zijn formele rol
hierin. Vanuit het oogpunt van herstelrecht draagt dit beleid niet direct bij aan
het realiseren van herstel. De overwegingen om de positie van het slachtoffer te

versterken zijn niet in hoofdzaak gericht op de vraag hoe schuld en schaamte met elkaar zijn verbonden, en op hoe herstel mogelijk is van de relatie tussen slachtoffer en dader en tussen dader en samenleving. Want, zoals Van Garsse (2012) naar onze mening terecht stelt: de strafrechtspleging plaatst zich door haar aard *tussen* dader en slachtoffer. En ook het positioneren van het slachtoffer als formele partij in het strafproces scheidt de belangen van dader en slachtoffer en polariseert daarmee hun posities. Dat komt niet tegemoet aan de gedachte dat bij de dader gevoelens van schuld en schaamte aanwezig (kunnen) zijn en dat het mogelijk is deze in te zetten in het ontwikkelen van een toekomstgerichte verantwoordelijkheid: voor het overwinnen van moeilijkheden en voor het veranderen van het eigen gedrag. Hierin kunnen de reclassering en organisaties als Slachtoffer in Beeld een betekenisvolle rol vervullen. Slachtoffer-dadergesprekken kunnen leiden tot wederzijds begrip, tot het verminderen van gevoelens van angst bij slachtoffers en tot het 'ontgijzelen' van de dader van zijn schuld, waardoor er voor beide partijen ruimte ontstaat voor een nieuwe toekomst.

Strafrechtelijk ingrijpen is iets anders dan herstel van relaties. Uitgaande van de strafdoelen generale preventie, speciale preventie, vergelding en resocialisatie zal het strafrechtelijke ingrijpen *naast* het herstelrecht vooral betekenis hebben voor de generale preventie[12]. In de huidige tijd neigt het evenwicht tussen de strafdoelen meer naar repressie en vergelding, en minder naar preventie en resocialisatie. Als we ons baseren op publieke uitingen van bewindslieden, lijkt het streven naar een vorm van herstelrecht in plaats van het huidige strafrecht op dit moment een brug te ver.

Tegelijkertijd is in de feitelijke strafrechtspleging een voorzichtige trend zichtbaar van een zoeken naar meer samenlevings- en herstelgerichte vormen van strafafdoening, in een nauwe en nieuwe samenwerking tussen Openbaar Ministerie, politie, reclassering, slachtofferhulp en Raad voor de Kinderbescherming. Niet *in plaats van* een strafrechtelijke afdoening, maar wel meer recht doend aan zowel dader, slachtoffer als samenleving. Deze voorzichtige trend, waarin een herstelgerichte benadering wordt ingebed in de formele strafrechtspleging, biedt een nieuw en hoopvol perspectief. Voor een werkelijk effectieve en herstelgerichte afdoening is wel meer nodig dan veranderingen in beleid of in samenwerkingsprocedures. Dit vraagt om een samenhangende inhoudelijke ontwikkeling naar een relationele benadering van herstel.

We staan aan de vooravond van een nieuwe manier van kijken naar schulden: een afscheid van het principe 'schulden *hebben* betekent schuldig *zijn*'. De auteurs in deze bundel stellen zonder uitzondering nieuwe omgangsvormen met schulden voor. Dat leidt tot onorthodoxe uitwegen naar minder verstikkende en uitzichtloze schuldensituaties.

Schulden worden in de regel als een financiële kwestie gezien. Oplossingen zijn vaak technisch van aard. In deze bundel hebben we nadrukkelijk breder gekeken. Wat zien we als we schulden opvatten als een maatschappelijk vraagstuk, zowel op het niveau van individuen en huishoudens als dat van instanties en nationale staten? Welke oorzaken en oplossingen komen dan in beeld?

In deze bundel komen we tot de conclusie dat een drietal vertrouwde ideeën over schulden ter discussie staat. Om te beginnen het axioma dat schulden altijd en overal tot het uiterste moeten worden terugbetaald. Deze stelling blijkt onhoudbaar te zijn. Terugbetalen blijft weliswaar in de regel het uitgangspunt, maar concreet zien we voorstellen die daarvan loszingen.

Het tweede idee dat op de helling kan, is dat schulden louter financiële aangelegenheden zijn die om technische oplossingen vragen: de 3-procentsnorm, het toepassen van renteregels, de protocollen van de schuldhulpverlening. Schuldenrelaties zijn bij uitstek ook een morele kwestie, en dat heeft implicaties voor het oordeel over en de aanpak van schulden.

In samenhang hiermee erodeert ten derde ook het idee dat individuele schulden het beste opgelost kunnen worden door gedragsverbetering van schuldenaren alleen. Schulden kennen immers ook een oorzaak in het, soms verlammende, gedrag van instellingen en overheden.

Schulden hoeven niet altijd te worden afgelost

De enorme toename van de schulden van huishoudens, bedrijven en overheden kende het afgelopen decennium onvoorstelbare gevolgen: een economische crisis met dalende huizenprijzen, bezuinigingen, kortingen op pensioenuitkeringen, huisuitzettingen en oplopende werkloosheid. In het maatschappelijke en politieke debat gaat het met betrekking tot bedrijven en huishoudens dan al snel over de schuldhulpverlening verbeteren, beslaglegging optimaliseren, financieel bewustzijn vergroten, enzovoort. In al die gevallen is de kijk op schulden financieel. Ze worden gezien als een geldelijk contract tussen schuldeiser en schuldenaar, met als implicatie dat er pas recht is gedaan als het afgesproken bedrag is afgelost. In deze bundel klinkt een ander geluid: veel auteurs houden een pleidooi voor een gerichte verlichting of zelfs kwijtschelding van schulden.

Belangrijke ingrediënten voor deze gedachtegang vinden we in de hoofd-stukken over immateriële schulden. Zorg wordt bijvoorbeeld regelmatig als gift en zonder wederdienst geboden; denk aan de zorg van een moeder voor haar gehandicapte kind. Maar ook in minder intieme relaties kan erkend worden dat schulden geen terugbetaling behoeven. Zelfs als er geen sprake is van onkunde of overmacht, komt kwijtschelding in de praktijk regelmatig voor. Imams, dominees en pastores vergeven mensen hun schulden als zij berouw tonen over hun daden, zeker als zij ook bereid zijn kritisch naar zichzelf te kijken en van gemaakte fouten te leren. Bredewold en Linders signaleren dat met de transformatie van de klassieke verzorgingsstaat naar een participatiesamenleving hulpbehoevenden vaker ondersteuning zullen moeten vragen aan familie, vrienden of buren. Meer dan voorheen zullen ze zo een immateriële schuld opbouwen bij hun naasten. Kwijtschelding is doorgaans het snelst aan de orde als er een vertrouwde naaste is die belangeloos de zorg op zich neemt. Dit impliceert echter wel dat de mensen met de minste 'zorgkapitaalkrachtige' naasten het meeste verstoken blijven van zorg als 'gift'.

De analogie met *financiële* schulden ligt voor de hand: wie geen kapitaal-krachtige vrienden of familie heeft, kan niet rekenen op hulp uit het informele circuit om schulden te vereffenen. Maar ook langs andere wegen komen auteurs in deze bundel uit bij kwijtschelding van financiële schulden, waarbij overmacht, onkunde, berouw en de tactieken van schuldeisers in de overwegingen meetellen.

Financieel geograaf Rodrigo Fernandez bepleit bijvoorbeeld tussen landen een kwijtscheldingsregeling (resolutiemechanisme) van publieke schulden. Hi...

De bankencrisis ontstond door een op schulden gebaseerde economie, onder meer doordat bankiers meer in financiële markten dan in de reële economie gingen investeren. Door de handel in securitisaties en overige financiële producten probeerden zij met steeds meer geleend geld nieuw geld te maken. Hoewel deze zeepbel in 2008 uiteenspatte, is het verdienmodel volgens Fernandez gewoon hetzelfde gebleven. Tegenwoordig zijn het echter vooral de mondiale institutionele beleggers, rijke transnationale ondernemingen en nieuwe opkomende economieën die enorme hoeveelheden kapitaal uitlenen om geld met geld te maken. Om te voorkomen dat hele bevolkingen opnieuw het kind van de rekening worden, bepleit Fernandez een resolutiemechanisme dat het risico bij het omvallen van de banken neerlegt bij de rijke private instellingen. In plaats van schuldeisers worden zij schuldenaar, zoals bij de bankencrisis in Cyprus in 2013 voor het eerst werd geregeld dat ook de grote spaarders, aandeelhouders en obligatiehouders moesten meebetalen aan het redden van de banken op het eiland.

Kwijtschelding is ook de kern van het pleidooi van de economen Marcel Canoy en Robin Fransman. In hun geval gaat het om schuldenaren met uitzichtloze aflossingsproblemen. Zij zullen veel in het werk moeten stellen om van hun schulden af te komen – zoals het tijdelijk aanwenden van pensioenkapitaal om de hypotheek af te lossen – maar als dat allemaal te weinig zoden aan de dijk zet, dan mogen ze failliet worden verklaard, inclusief kwijtschelding van hun schulden. Faillissement nieuwe stijl dus eigenlijk, zoals in de Verenigde Staten, waar een faillissement wordt gezien als een kans om opnieuw te beginnen. Niet het brevet van onvermogen en de bestraffende blik naar het verleden, zoals in Nederland nu nog het geval is, maar een optimistische blik naar de toekomst. In ons land kan een natuurlijke persoon wel failliet gaan, maar dat leidt niet tot het kwijtschelden van de schulden. Zodra iemand weer wat verdient, staan de schuldeisers op de stoep. Mensen komen alleen van hun schulden af door middel van de Wet schuldsanering natuurlijke personen (Wsnp), waarbij ze volgens Canoy en Fransman jarenlang, omkleed met vernederende procedures, van het absolute minimum moeten rondkomen. Financieel levert de Wsnp de schuldeisers echter vaak weinig tot niets op en ook ethisch is het traject dubieus, omdat schuldenaren niet altijd verantwoordelijk zijn voor de ontstane problemen. Als ze dat wel zijn, zijn ze bovendien vaak bereid in de toekomst verstandigere keuzes te maken.

Kwijtschelding via de Wsnp was toen die wet in 1998 inging wellicht een vernieuwende gedachte. Het was – en is – de laatste strohalm voor veel mensen met schulden. Toch is de wet in de praktijk in een strafmaatregel ontaard. Er moeten betere oplossingen worden gevonden. Zoals vormen van kwijtschelding die niet alleen omkleed zijn met straf en genoegdoening, maar ook met herstel en toekomstgerichte kansen. Dat vraagt om een meer morele dan financiële benadering en om een blik die verder kijkt dan de schuld van een individu.

De vergeten kwestie: schulden zijn een moreel vraagstuk

In Nederland begon de schuldtoename al na de Tweede Wereldoorlog – eerst langzaam, vanaf de jaren zestig en zeventig sneller, en het afgelopen decennium in een koortsachtig tempo verlopen. Er lijkt nu weliswaar sprake van bezinning, maar zijn we ook op weg naar een andere cultuur? In welke mate mogen mensen die zich zwaar in de schulden hebben gewerkt moreel worden veroordeeld, en welke sancties passen daarbij?

Dit zijn ingewikkelde vragen, omdat ze gaan over de belangen van zowel schuldenaren als schuldeisers en over de samenleving als geheel. De bijdragen in dit boek laten twee perspectieven zien, die verschillende belangen proberen te verenigen. Het eerste betreft het uitgangspunt dat problematische schulden ontstaan in een bepaalde maatschappelijke context, waardoor het morele oordeel nooit alleen over de schuldenaar geveld kan worden, net zomin als de oplossingen alleen aan die zijde liggen. Het tweede perspectief zien we bij auteurs die het accent leggen op interventies ten aanzien van het individuele gedrag. Wanneer dit individuele perspectief dominant is, is kwijtschelding geen optie (op de Wsnp-route na).

Antroploog Erik Bähre schetst hoe het schuldenvraagstuk volgens hem niet beperkt kan blijven tot een moreel oordeel over het gedrag van [illegible] juist in belang afnamen. Mooie kleding, auto's en tv's waren niet meer voorbehouden aan een zeer beperkte elite, maar kwamen in beeld voor vrijwel iedereen. Steeds meer mensen konden proberen een positie op de statusladder te veroveren. Dat deden zij door onverantwoord veel geld te lenen, mede ingegeven door slimme, sluwe en agressieve marketingtactieken van financiële instellingen en bedrijven. Marc Räkers typeert deze ontwikkeling als volgt: 'Eerst stimuleren we zo veel mogelijk mensen de onverantwoordelijke kredieten in (hypotheken, consumptieve kredieten, roodstanden, vage financiële producten etc.) en vervolgens richten we een complete schuldhulpindustrie in die de gevolgen hiervan moet dempen.'

Consumptie is inmiddels zo belangrijk voor het aanzien en wellicht ook voor de gevoelens van eigenwaarde van veel mensen, dat het lastig is te bedenken hoe *zonder* consumptie status valt te verkrijgen. Toch is die zoektocht volgens Bähre belangrijk om tot een andere schuldenmoraal te komen. Als voorbeeld noemt hij de zogenoemde Schuldencoöp, waarin een kleine groep academici en kunstenaars met scholieren van gedachten wisselt over schulden, aanzien en waarden (zie ook Bähre e.a. 2012). Het is een plek, onder meer op Facebook, waar wordt gezocht naar manieren om uitdrukking te geven aan alternatieve waarden, die niet zo sterk verbonden zijn met geld en consumptie. Als jongeren ervaren dat zij ook zonder excessieve consumptie gewaardeerd worden en een nuttig sociaal netwerk kunnen opbouwen, kan er misschien een cultuuromslag ontstaan.

Madern en Van der Schors bepleiten ook een omslag, gericht op de jongerencultuur. Hiermee komen ze in de buurt van het tweede, meer op individuen gerichte perspectief: ze willen de jeugd heropvoeden, zodat ze leren omgaan met schulden. Anders dan de gangbare benadering om jongeren van schulden weg te houden, stellen Madern en Van der Schors echter dat zij de pijn en last die schulden met zich meebrengen juist gedoseerd moeten ervaren. In de huidige consumptiemaatschappij zijn verleidingen en leningen immers nauwelijks meer weg te denken.

Veel ouders springen bij als jongeren in de min staan of doen hun best om te voorkomen dat het überhaupt zover komt. Leerervaringen komen echter het beste tot stand via de pijn van de lege portemonnee. Deze raakt jongeren in hun gedrag en levensstijl en dwingt hen na te denken over de waarden en prioriteiten die voor hen belangrijk zijn. Concreet stellen Madern en Van der Schors voor om jongeren reeds voor ze formeel financieel verantwoordelijk zijn (met 18 jaar) kleine verplichtingen te laten aangaan. Bijvoorbeeld door hun vanaf hun 15e de kans te geven een kleine lening bij de bank af te sluiten. De gevolgen van die lening zijn echt, maar blijven te overzien. Beter op je 15e met kleine bedragen fouten maken dan op latere leeftijd met een hypotheek van honderdduizenden euro's.

Jungmann en Van Geuns horen eveneens bij de vertegenwoordigers van het tweede, individuele perspectief. In hun hoofdstuk doen ze een voorstel voor een nieuw analyse-instrument, waarmee het mogelijk is de kans te berekenen dat schuldenaren succesvol een schuldenregeling doorlopen. Moraliteit speelt – naast een aantal andere gedragsaspecten – een belangrijke rol daarbij, zoals de vraag of schuldenaren willen inzien dat ze een probleem hebben en verantwoordelijkheid willen nemen voor hun gedrag. In de oude situatie keken schuldhulpverleners alleen naar de financieel-technische gegevens van een schuldenaar, zoals de recht-matigheid van de schulden en de omvang van de schuldenlast. Zulke kenmerken blijken echter niet goed te voorspellen of iemand een schuldregeling ook succesvol doorloopt. De auteurs stellen daarom voor naar de houding van schuldenaren te kijken. Het door hen voorgestelde screeningsinstrument geeft bovendien meer inzicht in de relevante partners van de schuldhulpverlening, zoals maatschappelijk werk, ggz, vrijwilligers(organisaties) en verslavingszorg, tussen welke vervolgens betere afstemming en samenwerking mogelijk is.

Met het analyse-instrument van Jungmann en Van Geuns kunnen schuld-hulpverleners duidelijker afspreken aan welke houdingsaspecten mensen moeten voldoen voordat ze kunnen instromen in een schuldregeling. Dit is van belang, stellen ze, omdat momenteel slechts één derde van de mensen die een beroep doen op schuldhulpverlening uit de schulden komt. Voor de mensen die in een perspectiefloze schuldensituatie terechtkomen, stellen Jungmann en Anderson in hoofdstuk 5 voor een methodiek voor onoplosbare schulden te ontwikkelen.

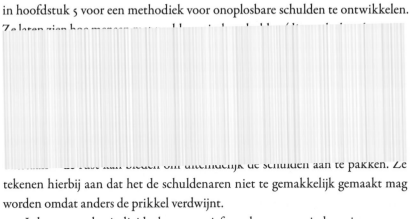

tekenen hierbij aan dat het de schuldenaren niet te gemakkelijk gemaakt mag worden omdat anders de prikkel verdwijnt.

Inherent aan het individuele perspectief van deze auteurs is dat ze inzetten op het bereiken van wenselijk gedrag van schuldenaren. In dit opzicht positioneren ze zich tegenover de vertegenwoordigers van het collectieve perspectief die geen moreel oordeel vellen over het gedrag van *individuen*. De overeenkomst tussen beide perspectieven is dat ze schulden niet als een economische vanzelfsprekendheid zien (terugbetalen en anders boete), maar als een morele kwestie die per situatie beschouwing behoeft. Die lijn past bij die van Graeber (2012), die in zijn *magnum opus* de stelling uitwerkt dat schulden terugbetalen weliswaar vaak goed te verdedigen is, maar evengoed tot verschrikkelijke dingen kan leiden, zoals na de herstelbetalingen van Duitsland na de Eerste Wereldoorlog. Bij uitstek schulden gaan volgens Graeber vaak gepaard met overmacht, manipulatie en pogingen machtsrelaties te bestendigen. Vandaar dat de morele vraag altijd goed in beeld moet blijven en auteurs in deze bundel het principe van sociale rechtvaardigheid een belangrijkere rol geven bij het nadenken over schulden.

Bredewold en Linders voegen aan die morele kant van kwijtschelding toe dat schulden minder snel als een te vereffenen probleem worden gezien wanneer er sprake is van vertrouwen en wederkerigheid. Ruimer geïnterpreteerd betekent dit dat niet zozeer berouw en een schuld erkennen bepalend zijn voor een oplossing, maar vooral de bereidheid gemaakte fouten te herstellen. Bij berouw worden het schuldbewustzijn en de boetedoening van de schuldenaar benadrukt. Dit past bij een 'voor wat hoort wat'-mentaliteit. Bij het herstellen van geschonden relaties gaat het daarentegen om herstel van wederkerigheid en vertrouwen tussen mensen. Dat vertrouwen moeten mensen dan overigens óók hebben in de samenleving, het bestuur en de politiek. Zo bezien kan alleen een individuele aanpak die gekoppeld is aan een collectieve benadering het wederzijdse vertrouwen versterken. Paul Dekker en Josje den Ridder (2013) stellen naar aanleiding van het *Continu Onderzoek Burgerperspectieven* van het SCP dat veel mensen tijdens de economische crisis de angst hadden dat de economische elite nog meer hebzucht zou tonen en nog meer zou proberen de eigen huid te redden. Een overtuigende correctie van de hebzucht aan de top kan dat fatalisme volgens Dekker en Den Ridder echter 'helpen bestrijden. En dat op zijn beurt kan een belangrijke bijdrage zijn aan herstel van echt vertrouwen: in de economie, in elkaar en in de toekomst' (Dekker & Den Ridder 2013, p. 1).

Kortom: een andere moraal op het vlak van schulden moet op zowel individueel als collectief niveau ontstaan – en die twee hangen met elkaar samen. Ontwikkelingen als het steeds rijker worden van de rijken (Piketty 2014) raken niet alleen het collectieve vertrouwen, maar ook de (financiële) keuzes en omgangsvormen van mensen op microniveau. Bedenkelijk is in dat verband dat de beloning van bankmedewerkers sinds het artikel van Dekker en Den Ridder drie keer zo snel is gestegen als die van werknemers in andere sectoren (CBS 2014).

Niet straffen maar duurzaam behoeden

Geen van de auteurs in deze bundel stelt dat schuldenaars altijd slachtoffer en schuldeisers altijd dader zijn. Van alle kanten wordt gewezen op het grote belang van de eigen verantwoordelijkheid van mensen en op het gevaar van wegduiken in slachtofferschap. Dat neemt niet weg dat bestaande schuldregelingen soms tot strafmaatregelen lijken te zijn verworden, alsof het doel is de 'slechtheid' van de schuldenaar aan te tonen. Hier zijn niet alleen ethische kanttekeningen bij te plaatsen; ook omwille van duurzame sociale verhoudingen zijn er goede argumenten om het over een andere boeg te gooien en bestaande instituties grondig tegen het licht te houden.

Marc Räkers, voortrekker in het outreachend werk in Nederland, stelt dat het armoede- en schulddomein een sterk gejuridiseerde industrie is geworden. Incassobedrijven, bewindvoerders, deurwaarders, beschermingsbewindvoerders, gemeentelijke beleidsafdelingen, budgetcoaches, loonbeslagregelaars, kanton-

rechters, onderzoekers, adviesbureaus, hbo-opleidingen, de beroepsvereniging en
vele overige instanties zijn bezig met procedures en regelingen. Op dit

ren hun eigen inkomen beheren, afspraken maken met schuldeisers en verslag
doen van de vorderingen. De rol van het platform is schuldenaren *met elkaar* in
contact te brengen, zodat zij met en van elkaar kunnen leren. Bovendien is er
een ondersteuner die tips geeft, ideeën aanreikt, aanmoedigt en eventueel aan-
spoort, maar het blijft de schuldenaar die alle beslissingen neemt. Wie afspreekt
zondagavond de huur over te maken maar nalaat dit te doen, kan op diezelfde
avond een telefoontje of sms van zijn ondersteuner verwachten. Het platform
spoort eveneens gemeenten, verhuurders en bijvoorbeeld werkgevers aan. Ook zij
zouden persoonlijk aanspreekbaar moeten zijn, in plaats van zich te verschuilen
achter loketten en anonieme tussenpersonen.

Meer auteurs kijken naar de manier waarop instellingen en systemen functioneren. Jungmann en Anderson laten zien dat mensen onder het wettelijke
bestaansminimum raken omdat instanties van elkaar niet weten wat ze van
mensen met schulden vorderen en inhouden. Hun pleidooi voor stabilisering van
schulden moet op de lange duur bijdragen aan een verbetering van de positie van
zowel schuldenaren als schuldeisers. Van der Meer signaleert hoe in het koude
beton van termijnen, regelingen, afspraken en controles de menselijke maat verdwijnt. Menger en Van Vliet laten zien hoe het strafrecht *tussen* slachtoffers en
daders in staat en (op de boetedoening na) weinig bijdraagt aan het herstel van
de relatie tussen slachtoffer en dader.

Het oplossen van het schuldenvraagstuk vereist gedurfde en onorthodoxe keuzes,
die verder gaan dan het straffen van schuldenaren en het in gang zetten van de
bijbehorende procedures. Ook instellingen en instituties zullen naar hun gedrag
en functioneren moeten kijken. Het hoofdstuk van Menger en Van Vliet over

herstelrecht biedt verrassende inzichten die breder van nut zijn. Zo kunnen herstelgesprekken tussen daders (schuldenaren) en slachtoffers (schuldeisers) angstgevoelens bij het slachtoffer verminderen. Ook kunnen ze daders helpen een toekomstgerichte verantwoordelijkheid te ontwikkelen. Herstelrecht sluit boetedoening via het strafrecht niet uit, maar daarnaast of daarbinnen behoedt het daders óók voor nieuwe fouten. Voor mensen die buiten hun eigen schuld in de problemen zijn gekomen, geldt deze denkrichting des te meer. Waarom zou iemand die in principe zijn eigen boontjes kan doppen door een vernederende schuldsanering moeten? Waarom gebeurt dat met laaggeletterde, cognitief beperkte, minder weerbare of anderszins sociaal minder vaardige mensen? Toen Eva een hap van de appel nam, strafte God haar zwaar, maar wat zou er zijn gebeurd als zij haar relatie met God had mogen herstellen en wellicht was ondersteund om vergelijkbare fouten in de toekomst te voorkomen?

Tot slot: schulden vragen om sociale innovatie

De schuldencrisis vraagt om sociale innovatie. De oplossing is dus geen financieel-technische kwestie, maar een cultuur- en gedragsveranderingsvraagstuk, inclusief politieke, psychologische, antropologische, institutionele en sociale – omgevings-factoren; sociale netwerken – aspecten. Pas als de processen *achter* de schulden-crisis beter worden begrepen, tekenen er zich effectieve oplossingsperspectieven af. Helder is dat verdere juridificering niet de weg is. Ook is het onvoldoende alleen aan het individuele gedrag van cliënten te sleutelen. Op meerdere niveaus is verandering noodzakelijk. De invalshoeken in deze bundel bieden kansrijke nieuwe perspectieven om problematische schulden te voorkomen of daar beter mee om te gaan, hoewel ze ook duidelijk maken dat zaken als hebzucht, manipulatie en machtsstrijd tussen schuldeisers en schuldenaren niet snel zullen verdwijnen.

Een opvallende conclusie is dat het schuldenvraagstuk beter als een relationeel dan een (uitsluitend) individueel-juridisch vraagstuk kan worden benaderd. De doelen en belangen van schuldeisers en schuldenaren worden dan niet los van elkaar geformaliseerd. Ook worden de beroepsgroepen die zich op dit terrein bewegen niet van elkaar gescheiden. Zowel bij het ontstaan als bij het oplossen van schuldenproblemen hebben die immers met elkaar te maken. Door het

schuldenvraagstuk relationeel te benaderen, ontstaat er ruimte voor creatieve
en onorthodoxe antwoorden, zoals herstelgesprekken, een Schuldenvrije

Vanuit deze relatie geredeneerd komt niet de budgetcursus van zes bijeenkomsten in beeld, maar de intensievere ondersteuning door het eigen netwerk,
vrijwilligers en professionals; niet de individuele financiële voorlichting, maar
de cultuuromslag via groepen; niet het voorkomen van schulden omdat ze slecht
zijn, maar het reeds op jonge leeftijd daarmee leren omgaan; niet het *rücksichts-
lose* juridische traject van aflossen, maar inzicht in de psychologie; niet het per
definitie aflossen van schulden op straffe van boete, maar het kwijtschelden als
dat moreel of sociaal de beste keuze is.

Het draait erom schulden als een cultuur- en gedragsveranderingsvraagstuk te
benaderen, inclusief financiële en juridische aspecten. Dat geeft meer perspectief
op het 'ontgijzelen van schuld'. Als we mensen op een betere en meer rechtvaardige
manier weten te bevrijden van hun last, zijn we uiteindelijk ook als samenleving
beter uit. In dit boek zien we dat dit proces is ingezet.

2. Ook is de gemiddelde omvang van de schulden gestegen: van 29.900 euro in 2008 tot 37.700 euro in 2013.

3. Tussen 2008 en 2013 steeg de werkloosheid in Nederland van 3,9 procent naar 8,3 procent van de beroepsbevolking (Peildatum: mei).

4. Dat wil zeggen: sinds het CBS het ging meten.

5. Een voorwaarde voor hulp aan New Orleans was bijvoorbeeld dat vrijwel alle openbare scholen werden omgevormd tot particulier geleide charterscholen, wat binnen enkele maanden ook is gebeurd.

1. Indianenverhalen – Bähre

1. http://www.rtlnieuws.nl/nieuws/binnenland/nederlanders-lenen-zich-suf, http://www.nu.nl/geldzaken/2824365/nibud-vindt-huidige-leencultuur-doorgeslagen.html, https://zoek.officielebekendmakingen.nl/kv-tk-2012Z11125.html

2. Zie CBS (2010b, p. 179) voor het gemiddelde inflatiepercentage sinds 1900. Het uitstaande krediet was in 2008 hoger dan het verstrekte krediet; ruim 17 miljard euro (CBS 2010b, p. 176, zie ook AFM 2007, p. 3).

3. Zie http://www.afm.nl/nl/professionals/regelgeving/informatieverstrekking/krediet-waarschuwing.aspx

4. Het fragment komt uit de show 'Man vermist'. Online op: http://humortv.vara.nl/ca.1549.lenen-lenen-lenen.html. Voor recente verwijzingen naar dit fragment zie o.a. Z24 (http://www.z24.nl/geld/bijna-720-000-consumenten-moeite-met-betalen); de Zembla-uitzending van 17 feb. 2008; de column van Youp van 't Hek in *NRC* (6 aug. 2011).

5. Zie Guyer (1995) over het belang van commensurabiliteit.

6. Tot op zekere hoogte is het mogelijk om iemands sociaal kapitaal te herkennen in de habitus, zoals Bourdieu laat zien in *Distinction* (1984). Dan is het echter wel weer zichtbaar door consumptiepatronen.

7. Zie https://www.rabobank.com/nl/float/libor/index.html, toegang op 24 maart 2013

8. http://www.volkskrant.nl/vk/nl/2844/Archief/archief/article/detail/383192/1995/01/09/ ABN-Amro-hielp-drugskartel-bij-witwassen.dhtml, toegang op 24 maart 2013

9. http://www.nu.nl/economie/3553472/dnb-beboet-abn-amro-vestia-fout.html, toegang op 25 maart 2013

10. Voor de definitie van een problematische schuld, zie Kerckhaert & De Ruig (2013, p. 41). De onderzoeksresultaten zijn verkregen uit enquêtes via internet en telefoon, en voor gevoelige informatie over inkomsten en schulden is dat een problematische methode. Het is waarschijnlijk dat de werkelijke schuldenproblemen groter zijn dan respondenten tijdens een telefoongesprek melden. Helaas omvat het rapport geen gedetailleerde motivatie voor de gekozen onderzoeksmethode.

11. 'The ECB's Securities Market Program (SMP) – about to restart bond purchases?' Global Markets Research – International Economics. Commonwealth Bank, 18 June 2012, retrieved 21 April 2013, http://www.commbank.com.au/corporate/research/economics/ economic-issues/international/2012/180612-ECB.pdf

12. http://kredietcrisis.rekenkamer.nl/nl, toegang 25 maart 2014

2. Oplossing van schulden – Canoy & Fransman

1. Voor dit hoofdstuk is deels gebruikgemaakt van materiaal uit Canoy (2013), http://www. ftm.nl/column/schuldkapitalisme-failliet/, http://www.ftm.nl/column/nog-even-je-hypotheek-aflossen-met-je-pensioen/ en Fransman (2014).

2. Zie http://www.nytimes.com/2011/12/11/books/review/anarchist-anthropology. html?pagewanted=all

3. http://ec.europa.eu/europe2020/pdf/themes/07_shadow_economy.pdf#page=6

4. De markt van armoede en schuld – Räkers

5. De illusie van een schone lei – Jungmann & Anderson

1. De belangrijkste reden dat we niet precies weten hoeveel mensen dankzij schuldhulpverlening uit de schulden komen, is dat veel gemeenten sinds 2012 de kop van het proces anders hebben ingericht. Op 1 juli van dat jaar trad de Wet gemeentelijke schuldhulpverlening (Wgs) in werking. Voor gemeenten betekent deze wet dat de voorziening schuldhulpverlening onder de Algemene wet bestuursrecht (Awb) valt. Bij een beroep op schuldhulpverlening moet de gemeente een formeel besluit nemen waarvoor beroep en bezwaar openstaat. Om zo min mogelijk (afwijzende) besluiten te hoeven nemen (en dus een zo gering mogelijk risico te lopen op een bezwaarprocedure), hebben veel gemeenten een soort informele intake ingericht. Schuldenaren worden voorgelicht over de voorwaarden waaronder zij gebruik kunnen maken van de voorziening schuldhulpverlening. Een groot deel van de mensen die niet aan de voorwaarden kan of wil voldoen, doet op basis van die voorlichting geen beroep op de schuldhulpverlening. Er wordt dan geen formeel besluit over de toelating genomen en de schuldenaar komt niet in de statistieken terecht. Van de groep die formeel wel een beroep doet op de schuldhulpverlening (en dus een formeel besluit krijgt in het kader van de Awb), valt ongeveer de helft (49 procent) voortijdig uit. Bij een kwart weigeren de schuldeisers om mee te werken (25 procent) en voor een kwart (26 procent) wordt een schuldregeling met kwijtschelding getroffen. Van deze laatste groep maakt ongeveer 70 procent de regeling met succes af. Het netto-resultaat is dus dat bijna 20 procent (18 procent) van de groep die een beroep doet op de gemeentelijke schuldhulpverlening dankzij een schuldregeling schuldenvrij wordt. De schuldenaren waarvoor geen regeling mogelijk is vanwege weigerende schuldeisers, kunnen een beroep doen op de Wet schuldsanering natuurlijke personen (Wsnp). Het is niet bekend welk deel dat doet en welk deel wordt toegelaten. Wel weten we dat ook bij een wettelijke schuldsanering ongeveer 70

procent de regeling met succes afrondt. Wanneer we voorzichtig schatten dat 90 procent van de groep waarbij schuldeisers weigeren gebruikmaakt van de Wsnp, dan levert deze regeling dus voor 16 procent van de schuldenaren die een beroep doen op de gemeentelijke schuldhulpverlening een schone lei op. Van alle schuldenaren die formeel een beroep doen op de schuldhulpverlening komt dus een derde uit de schulden (18+16= 34 procent).

6. De psychologie van schuld – Jungmann & Van Geuns

1.   De schulden zijn dan zo hoog dat deze niet binnen drie jaar afgelost kunnen worden zonder dat de betrokkenen een besteedbaar inkomen overhouden dat onder de beslag-vrije voet komt te liggen, dat globaal op 90 procent van het sociaal minimum ligt. In Nederland is wettelijk geregeld dat in die situatie in beginsel niet van een schuldenaar gevraagd wordt langer dan drie jaar af te lossen. In specifieke situaties wordt daarvan afgeweken vanwege bijvoorbeeld de aard van de schulden, zoals recente fraudeschulden.

2.   Dit percentage varieert tussen gemeenten en is ook afhankelijk van waar in het 'werk-proces' gestart wordt met registreren en meten.

3.   Deze paragraaf is grotendeels overgenomen uit Van Geuns 2013, p. 36-37.

4.   Omdat bij de clusteranalyse een beperkte marge is toegestaan bij de indeling van cliënten in de clusters, valt uiteindelijk zo'n 30 procent niet binnen de marges hiervan.

7. Schulden, zo erg nog niet! – Madern & Van der Schors

1.   H.M. Prast is hoogleraar persoonlijke financiële planning aan de faculteit economie en bedrijfswetenschappen van de Universiteit van Tilburg en voormalig lid van de Wetenschappelijke Raad voor het Regeringsbeleid (WRR). Het citaat is afkomstig uit het voorwoord van het boek *Geld en gedrag* (Nibud 2008).

8. De schuldige ontvanger en de gefrustreerde gever – Bredewold & Linders

1.   Dit continuüm van wederkerige relaties en bijbehorende concepten is ontwikkeld in samenwerking met Lilian Linders (onderzoeker Fontys Hogeschool, Eindhoven), Pascal

van Wanrooij (oprichter TijdVoorElkaar, een methodiek die hulprelaties op buurtniveau

... van de hulpbehoevendheid werd een scheiding gemaakt tussen mensen met een lichte, matige of zware beperking in de zelfredzaamheid. De eerste groep had niet langer recht op begeleiding bij dagelijkse activiteiten, zoals hulp bij zelfstandig wonen. Tevens is strenger geïndiceerd met betrekking tot het aantal zorguren voor mensen met een matige tot ernstige beperking. Vormen van begeleiding die gericht waren op sociale participatie werden ook niet langer vergoed. Door deze maatregel verloren circa 80.000 mensen geheel en nog meer mensen gedeeltelijk hun lopende indicatie voor extramurale begeleiding bij dagelijkse activiteiten of toegang tot dagbesteding. De gedachte achter deze bezuinigingen was dat het beter voor mensen zou zijn als ze voor hulp aangewezen zouden zijn op hun directe netwerk dan op professionele hulp' (Grootegoed 2012, p. 73).

10. Voorbij misdaad en straf – Menger & Van Vliet

1. Door de Ketenwerkgroep slachtoffers en tenuitvoerlegging (een werkgroep onder leiding van het ministerie van Veiligheid & Justitie) is in augustus 2012 een advies uitgebracht getiteld *Evenwicht: naar een weging van belangen van slachtoffers in de fase van tenuitvoerlegging van straffen en maatregelen.*
2. Hier wordt in het bijzonder gedoeld op het toekomstperspectief van de verdachte/dader.
3. Zoals de in 2005 bestaande mogelijkheid voor slachtoffers en nabestaanden in het geval van bepaalde ernstige delicten om op de openbare terechtzitting te spreken over wat het delict bij hen teweeg heeft gebracht. Zie verder het artikel van Van der Aa & Groenhuijsen (2012).
4. *ZSM* staat voor Zo Snel, Slim, Selectief, Simpel, Samen en Samenlevingsgericht Mogelijk.
5. http://www.om.nl/onderwerpen/zsm/, geraadpleegd 13.05.2014

6. Van der Aa & Groenhuijsen (2012) wijzen echter ook op het mogelijke averechtse effect, namelijk 'wanneer ten tijde van de afdoening onvoldoende zicht is op de ernst van het letsel of de schade. Hoewel het OM alert dient te zijn op mogelijke complicaties, valt niet uit te sluiten dat bepaalde schade niet op korte termijn op waarde te schatten is en dat slachtoffers door een (te) snelle afdoening per ongeluk juist benadeeld worden. Soms is het onmogelijk om binnen 6 uur na aanhouding al te bepalen of er complicaties optreden.'

7. http://www.slachtofferhulp.nl/Over-Ons/Positieversterking-slachtoffers/Dag-van-het-Slachtoffer-2013/, geraadpleegd 17.04.2014

8. David Thompson, hoofd van het Department of Correctional Services in Australië, constateert dat 'the single most prominent feature of an offender's personality observed by the professionals is their view that they have no victims. Many will argue for themselves to be seen as victims, most deny they leave chaos and trauma in their wake' (Thompson 1999, p. 5).

9. Zoals in het geval van een verstandelijke beperking of een gebrek aan inlevingsvermogen op basis van een stoornis. Ook kan de schuldvraag diffuus zijn. In een bundel over slachtoffer-dadergesprekken schrijft Prein (2012): 'Naarmate de situatie waarop het slachtoffer-dadergesprek betrekking heeft meer het karakter heeft gekregen van een (escalerend) conflict, is een strikt onderscheid tussen dader en slachtoffer (...) minder zinvol en staat het een effectieve communicatie in de weg.' In een interview zegt een expert: 'Bij uitgaansgeweld is het slachtoffer soms degene die het hardst kon lopen en dus het eerst bij de politie was om aangifte te doen.' Soms is duidelijk wie waarvoor verantwoordelijk is, maar dat is niet altijd het geval.

10. De delinquent is niet de enige die te maken heeft met de gevolgen van het gepleegde delict, de familie heeft hier ook mee te kampen. Vogelvang (2012) refereert aan Matthews (1989) die de familie 'de vergeten slachtoffers van het justitiesysteem' noemde.

11. Overigens kunnen ook herstelrechtelijke processen schade aan het slachtoffer toebrengen, zodat waarborgen voor een goede uitvoering cruciaal zijn (Van Hoek & Slump 2013).

12. Dat wil zeggen dat de straf andere mensen moet afschrikken hetzelfde te doen. Of deze instrumentele benadering 'werkt', blijft hier buiten beschouwing.

~~Bakker~~, G. den, *Economische crisis jaren dertig en tachtig vergeleken*. CBS, *De Nederlandse economie 2008*. Den Haag: CBS, 2009

Bureau Krediet Registratie, *BKR Hypotheekbarometer: ruim 100.000 consumenten met een betalingsachterstand op de hypotheek*, perskamer.bkr.nl, 24 april 2014

CBS, *Krimp consumptie houdt aan*. Conjunctuurbericht CBS, www.cbs.nl, 19 juli 2013

Dekker, P. & J. de Ridder, Samenleving snakt naar overtuigende correctie van hebzucht aan de top, www.socialevraagstukken.nl, 2 oktober 2013

Engelen, E. (2012), *Een ongeluk in slow motion: aantekeningen van een ramptoerist*. Amsterdam: Bert Bakker.

Goldberg, S., Investing in the New Normal, www.kiplinger.com, 9 oktober 2010

Graeber, D., *Schuld. De eerste 5000 jaar*. Amsterdam: Business Contact, 2012

Jungmann, N., *Schuldenproblematiek: een vraagstuk in transitie*. Openbare les. Utrecht: Hogeschool Utrecht, 2012

Kalse, E., Eigen schuld. Kalse, E. & K. Vendrik (red.), *Het crisisdiner. De kredietcrisis gefileerd*. Amsterdam: Prometheus/Bert Bakker, 2014

Kalse, E. & K. Vendrik (red.), *Het crisisdiner. De kredietcrisis gefileerd*. Amsterdam: Prometheus/Bert Bakker, 2014

Klamer, A., It's the society, stupid! www.mejudice.nl, 3 oktober 2013

Klein, N. (2013), *De shockdoctrine: de opkomst van rampenkapitalisme*. Breda: De Geus.

Lewis, M., *The Big Short. Inside the Doomsday Machine*. Londen: Penguin Books, 2011

Madern, T. & D. van der Burg, *Geldzaken in de praktijk 2011-2012*. Utrecht: Nibud, 2012

Manning, R., *Credit Card Nation. The Consequences of America's Addiction to Credit*. New York: Basic Books, 1990

Mauss, M., *The Gift. The Form and Reason for Exchange in Archaic Societies*. Londen: Routledge, 1990 [1923]

Mullainathan, S. & E. Shafir, *Scarcity: Why Having Too Little, Means So Much.* New York: Times Books, 2013

NVVK, *Jaarcijfers NVVK 2013.* Utrecht: NVVK, 2014

Oenen, G. van, Schuld(ig) of niet? Interview met Jacques van Rossen. *Modus Vivendi, Weg-wijzer voor schuldproblematiek. Nieuwsbrief schuldhulpverlening* (22 maart), 2013

Ommeren, C. van, L. de Ruig & P. Vroonhof, *Huishoudens in de rode cijfers.* Den Haag: Panteia, 2009

Reinhart, C.M. & K.S. Rogoff, Recovery from Financial Crises: Evidence from 100 Episodes. *American Economic Review Papers and Proceedings,* 104, 5, May, p. 50-55, 2014

RMO, *Inhoud stuurt de beweging: drie scenario's voor het lokale debat over de WMO.* Amsterdam: SWP, 2006

Shiller, R., *Irrational exuberance.* New York: Broadway Books, 2005

Velthuis, O. & L. Noordegraaf-Eelens, *Op naar de volgende crisis! Over het verleidend vermogen van de financiële markt.* Kampen: Klement, 2009

Wilkinson, R. & K. Pickett, *The Spirit Level. Why Equality Is Better For Everyone.* Londen: Penguin Books, 2009

1. Indianenverhalen – Bähre

AFM, *Rapport: Verantwoorde kredietverstrekking 2006,* 2007, http://www.afm.nl/~/media/files/rapport/2007/verantwoorde-kredietverstrekking-2006-120107.ashx

Bähre, Erik & Gerard van den Broek, *Project X Haren. Morele paniek over jeugd, technologie en crisis.* Leiden: Universiteit Leiden, 2013

Bähre, Erik e.a., *Schuldencoöp. Jongeren van hood naar hoop.* Leiden: Universiteit Leiden, 2012, http://fswweb07.fsw.leidenuniv.nl/Docs/Schuldencoop-Van-Hood-naar-Hoop.pdf

Bourdieu, P., *Distinction. A Social Critique on the Judgement of Taste.* Cambridge: Harvard University Press, 1984

Buikhuisen, W., *Achtergronden van nozem gedrag.* Assen: Van Gorcum & Comp. - Dr H.J. Prakke & H.M.G. Prakke, 1965

CBS, *Terugblikken: een eeuw in statistieken.* Den Haag/Heerlen: CBS, 2010a, http://www.cbs.nl/NR/rdonlyres/C764113B-F596-461D-9573-3BCA4617996E/0/2010terugblikken.pdf

CBS, *111 jaar statistiek in tijdreeksen, 1899-2010*. Den Haag/Heerlen: CBS, 2010b, http://

.... *Communities*. London: Heinemann & James Currey, 1995

Hart, K. & C.M. Hann, Introduction: learning from Polanyi. Hart, K. & C.M. Hann (eds.), *Market and Society. The Great Transformation Today*. Cambridge: Cambridge University Press, 2009

Kalb, D., *Expanding Class. Power and Everyday Politics in Industrial Communities, The Netherlands 1850-1950*. Durham: Duke University Press, 1997

Kerckhaert, A.C. & L.S. de Ruig, *Huishoudens in de rode cijfers 2012. Omvang en achtergronden van schuldenproblematiek bij huishoudens*. Zoetermeer: Panteia, 2013

Mauss, M., Essai sur le don. *L'Année Sociologique*, 1924

Prast, H.M., *Emotie-economie: de mythe van de persoonlijke financiële planning*. Inaugurele rede Universiteit van Tilburg, 2005, http://arno.uvt.nl/show.cgi?fid=121081

Sent, Esther-Mirjam, De stelling van Esther-Mirjam Sent: de rol van emoties in de economie wordt onderschat. Interview door Roel Janssen. *NRC*, 28 november 2009, http://www.nationaletoneel.nl/images/stories/NRC_20091128_Esther_Mirjam_Sent.pdf

Stiglitz, J., *Globalization and Its Discontent*. New York: Norton & Company, 2002

Swaan, A. de, *De mens is de mens een zorg. Opstellen 1971-1981*. Amsterdam: Meulenhoff, 1982

Swaan, A. de, Nawoord. *Amsterdams Sociologisch Tijdschrift*, 22 (4), p. 631-635, 1996

Touwen L.J., Varieties of capitalism en de Nederlandse economie in de periode 1950-2000. *Journal of Social and Economic History/Tijdschrift voor Sociale en Economische Geschiedenis*, 3 (1), p. 73-104, 2006

Veblen, T., *The Theory of the Leisure Class. An Economic Study of Institutions*, 1899

Wolf, W., *Envisioning power. Ideologies of Dominance and Crisis*. Los Angeles: University of California Press, 1999

2. Oplossing van schulden – Canoy & Fransman

Boettke, Peter J. & Christopher J. Coyne, Political economy of forgiveness. *Society*, 44 (2), januari/februari 2007, http://papers.ssrn.com/sol3/papers.cfm?abstract_id=1696112

Canoy, M., *De triple-A econoom, voorbij cijfers en cynisme*. Amsterdam: Boom, 2013

Cowen, T., How far back should we go? Why restitution should be small. Elster, Jon (ed.), *Retribution and Reparation in the Transition to Democracy*, p. 17-32. New York: Cambridge University Press, 2006

Europese Commissie, Shadow economy and undeclared work, 2012, http://ec.europa.eu/europe2020/pdf/themes/07_shadow_economy.pdf#page=6

Fransman, Robin, Het gebrek aan solidariteit in de eurozone: deugd of zonde? Kalse, Egbert & Kees Vendrik (red.), *Het crisisdiner. De kredietcrisis gefileerd*. Amsterdam: Prometheus/Bert Bakker, 2014

Graeber, D., *Schuld. De eerste 5000 jaar*. Amsterdam: Atlas/Contact, 2012

ILO, *Global Wage Report, 2012/13: wages and equitable growth*. Geneva: International Labour Office, 2013

Maurer, Rainer Willi, *Why Austerity Can Be Self-Defeating for Member States of a Currency Union*. (Working Papers Series). Pforzheim University, 15 januari 2012

3. Van een gevaarlijke naar een andere wereld – Fernandez

Bertola, L. & J.A. Ocampo, *The Economic Development of Latin America Since Independence*. Oxford University Press, 2012

Blom, J.G.W., *Banking on the Public. Market Competition and Shifting Patterns of Governance*. PhD Thesis. Universiteit van Amsterdam, 2011

Cassis, Y., *Capitals of Capital. A History of International Financial Centres, 1780-2005*. Cambridge University Press, 2006

Cohen, B., A global chapter 11. *Foreign Policy*, 75 (summer), p. 109-127, 1989

Crouch, C., *The Strange Non-Death of Neoliberalism*. Cambridge: Polity Press, 2011

Eichengreen, B., *International Policy Coordination: the Long View*. NBER Working Paper No. 17665, 2011

Engelen, E., 'Amsterdamned'? The uncertain future of a financial centre. *Environment and Planning A*, 39, p. 1306-1324, 2007

Engelen, E., R. Fernandez & R. Hendrikse, How finance penetrates its other: a cautionary tale on the financialization of ...

... *... crisis de la economía de mercado en el Chile contemporaneo.* Santiago: LOM ediciones, 2012

Michie, R., *The Global Securities Market. A History.* Oxford University Press, 2006

Palan, R., R. Murphy & C. Chavagneux, *Tax Havens. How Globalization Really Works.* Cornell University Press, 2010

Polanyi, K., *The Great Transformation.* Boston: Beacon, 1944

Rogoff, K. & J. Zettelmeyer, *Early Ideas on Sovereign Bankruptcy Reorganization. A Survey.* IMF Working paper, WP/02/57. Washington: IMF, 2002

Strange, S., *Mad money.* Manchester University Press, 1998

Tinbergen, J., *De les van dertig jaar. Economische ervaringen en mogelijkheden.* Amsterdam: Elsevier, 1944

UNCTAD, *Sovereign debt crisis and restructurings. Lessons learnt and proposals for debt resolution mechanisms.* Special event of the Second Committee of the General Assembly, The ecosoc Chamber, 25 October 2012. New York: United Nations, 2012

UNCTAD, *Trade and Development Report 1986.* Report by the Secretariat of the United Nations Conference on Trade and Development. New York/Geneva: United Nations, 1986

UNCTAD, *The History of UNCTAD, 1964-1984.* New York: United Nations, 1985

4. De markt van armoede en schuld – Räkers

Aedes, Vereniging van Woningcorporaties, *www.aedes.nl*

BKR/Bureau Krediet Registratie, *www.bkr.nl*

Commissie Schuldenproblematiek (commissie-Boorsma), *Schulden naar. Nieuwe impulsen in de schuldenproblematiek.* Den Haag: Vuga, 1994

Jungmann, Nadja e.a., *Paritas passé. Debiteuren en crediteuren in de knel door ongelijke incasso-bevoegdheden*. Utrecht: Hogeschool Utrecht [etc.], 2012

Wacquant, Loïc, *Straf de armen. Het nieuwe beleid van de sociale onzekerheid*. Berchem: EPO, 2006

5. De illusie van een schone lei – Jungmann & Anderson

Brink, H. e.a., *Werknemers uit de schulden*. Utrecht: Divosa, 2013

Geuns, R. van, N. Jungmann & M. de Weerd, *Klantprofielen in de schuldhulpverlening*. Amsterdam/Utrecht: Regioplan/Hogeschool Utrecht, 2011

Hoeve, M. e.a., *In de schuld, in de fout? Schuldenproblematiek en crimineel gedrag bij adolescenten en jongvolwassenen*. Den Haag: Kohnstamm Instituut, 2011

Jungmann, N., *Schuldpreventie 2.0. Focus op achterliggende problematiek en goed doordachte interventies*. Veenendaal: Social Force, 2012

Jungmann, N. & R. van Geuns, *Schuldhulpverlening loont!* Utrecht/Amsterdam: Hogeschool Utrecht/Regioplan, 2011

Jungmann, N. & H.D.L.M. Schruer, *Schets van de schuldhulpverlening. Omvang, opzet en actuele ontwikkelingen*. Utrecht: Hogeschool Utrecht, 2013

Jungmann, Nadja e.a., *Paritas passé. Debiteuren en crediteuren in de knel door ongelijke incasso-bevoegdheden*. Den Haag: Sdu, 2012

Kerkhaert, A.C. & L.S de Ruig, *Huishoudens in de rode cijfers*. Zoetermeer: Panteia, 2013

Madern, T., J. Bos & D. van der Burg, *Schuldhulpverlening in bedrijf. Financiële problemen op de werkvloer*. Utrecht: Nibud, 2012

Mullainathan, S. & E. Shafir, *Schaarste. Hoe gebrek aan tijd en geld ons gedrag bepalen*. Amsterdam: Maven Publishing, 2013

Nationale Ombudsman, *In het krijt bij de overheid. Verstandig invorderen met oog voor maatschappelijke kosten*. Den Haag: Nationale Ombudsman, 2013

Nibud, *Gezinnen op bijstandsniveau komen structureel geld tekort*, persbericht, 2014, http://www.nibud.nl

NVVK, *Jaarverslag NVVK 2013*. Utrecht, 2014

Prochaska, J.O., C.C. DiClemente & J.C. Norcross, In search of how people change: Applications to addictive behaviors. *American Psychologist*, 47, p. 1102-1114, 1992

Stavenuiter, M. & T. Nederland, *Lokaal en integraal. Vormgeving en uitvoering van schuld-hulpverlening in 60 gemeenten.* Utrecht: V

Organizational behavior and Human Decision Processes, 50 (2), p. 179-211, 1991

Bandura, A., Self-efficacy: toward a unifying theory of behavioral change. *Psychological Review*, 84, p. 191-215, 1977

Blommesteijn, M., R. van Geuns & N. Jungmann, *Mesis©: Methodisch screeningsinstrument schulddienstverlening. Een toelichting op de inhoud en toepassing van het instrument.* Amsterdam/Utrecht, 2012

Dijksterhuis, A., *Het slimme onderbewuste.* Amsterdam, 2007

Engbersen, G., *Publieke bijstandsgeheimen. Het ontstaan van een onderklasse in Nederland.* Amsterdam, 1990

Fishbein, M. & I. Ajzen, *Belief, Attitude, Intention and Behaviour. An Introduction to Theory and Research.* Reading, MA: Addison-Wesley, 1975

Geuns, R. van, *Every picture tells a story. Armoede een gedifferentieerd verschijnsel.* Openbare rede. Amsterdam: Hogeschool van Amsterdam, 2013

Geuns, R. van, N. Jungmann & W. Karssenberg, Assessment instrument maakt onderbouwd maatwerk mogelijk. Mesis©: het methodisch screeningsinstrument schulddienstverlening. *Sociaal Bestek*, maart, p. 14-16, 2013

Geuns, R.C. van, N. Jungmann & M. de Weerd, *Klantprofielen in de schuldhulpverlening.* Amsterdam/Utrecht: Regioplan/Hogeschool Utrecht, 2011

Hooft, E. van e.a., *Het heft in eigen hand. Achtergrondstudie 'Sturen op zelfsturing'.* Den Haag: RWI, 2010

Jungmann, N., *Schets van de schuldhulpverlening. Omvang, opzet en actuele ontwikkelingen.* Utrecht: Hogeschool Utrecht, 2013a

Jungmann, N., Klantprofielwerken vraagt herijking van interventies. *Sociaal Bestek*, maart, p. 20-23, 2013b

Jungmann, N., *Schuldenproblematiek, een vraagstuk in transitie*. Openbare rede. Utrecht: Hogeschool Utrecht, 2012a

Jungmann, N., *Schuldpreventie 2.0. Focus op achterliggende problematiek en goed doordachte interventies*. Utrecht: Hogeschool Utrecht, 2012b

Jungmann, N., *Niet alle uitvallers zijn afvallers. Landelijk platform integrale schuldhulpverlening*. Utrecht, 2002

Jungmann, N. & R.C. van Geuns, Vakmanschap is sleutel tot kanteling. 'Wmo vraagt om ware professional'. *Wmo Magazine*, 4, oktober, p. 14-17, 2012

Kahneman, D., *Ons feilbare denken*. Amsterdam, 2011

Nibud, *Budgethandboek*. Utrecht, 2014

Nibud, *Kans op financiële problemen*. Utrecht, 2012a

Nibud, *Een referentiebuffer voor huishoudens. Onderzoek naar het vermogen en het spaargedrag van Nederlandse huishoudens*. Utrecht, 2012b

NVVK, *Jaarverslag NVVK 2012*. Utrecht, 2013

NVVK, *Jaarverslag NVVK 2011*. Utrecht, 2012

Prochaska, J.O., C.C. DiClemente & J.C. Norcross, In search of how people change: Applications to addictive behaviors. *American Psychologist*, 47, p. 1102-1114, 1992

Thaler, R. & C. Sunstein, *Nudge. Naar betere beslissingen over gezondheid, geluk en welvaart*. Amsterdam, 2009

Tiemeijer, W.L., *Hoe mensen keuzes maken. De psychologie van het beslissen*. Amsterdam, 2011

Tiemeijer, W.L. e.a., *De menselijke beslisser. Over de psychologie van keuzen en gedrag*. Den Haag: WRR, 2009

Wesdorp, P. e.a., *Het heft in eigen hand. Sturen op zelfsturing*. Den Haag/Amsterdam: RWI/ Gilde Re-integratie, 2010

7. Schulden, zo erg nog niet! – Madern & Van der Schors

Berkhout, E., J. Prins & S. van der Werff, *Studie en werk 2013. Hbo'ers en academici van afstudeerjaar 2010/11 op de arbeidsmarkt*. Amsterdam: SEO Economisch Onderzoek, 2013

EenVandaag, *Jongeren snelst stijgende schuldengroep*, 23-05-2013, http://www.eenvandaag.nl/ economie/45951/jongeren_snelst_stijgende_schuldengroep, geraadpleegd 31 januari

Haster, D. & A. Bouwers, *Basisboek integrale schuldhulpverlening*. Groningen: Noordhoff, 2009

Heijst, P. van & S. Verhagen (red.), *Geld rolt. De rol van professionals bij financiële bewustwording van jongeren.* Amsterdam: SWP, 2010

ः Utrecht: Nibud, 2012

Madern, T. & A. van der Schors, *Kans op financiële problemen.* Utrecht: Nibud, 2012

Nibud, *Mbo'ers in geldzaken. Een onderzoek naar het financieel gedrag van mbo-studenten.* Utrecht: Nibud, 2011

Noorda, J. & T. Pehlivan, *Kredietcrisis onder risicojongeren. Een andere kijk op schulden en huisvestingsproblemen.* Den Haag: Sdu, 2009

NVVK, *Jaarverslag 2012. Kwaliteit en innovatie.* Utrecht: NVVK, 2013

Reesink, D.M, A.L.M. van Heijst & A. van der Schors, Geld is om uit te geven; (Hoe) aan de slag met mbo-studenten & geld. *Schuldsanering. Tijdschrift voor schuldhulpverlening en wettelijke schuldsanering,* maart 2014

Schors, A. van der, T. Madern & M. van der Werf, *Nibud Scholierenonderzoek 2012-2013.* Utrecht: Nibud, 2013

Schors, A. van der & A. Wassink, *Nibud Kinderonderzoek. Onderzoek naar basisschoolkinderen en hun geldzaken.* Utrecht: Nibud, 2013a

Schors, A. van der & A. Wassink, *KPI's Jongeren & Financiën; financiële problemen en hulpbehoefte van jongeren.* Onderzoek in opdracht van Rabobank Nederland. Utrecht: Nibud, 2013b

Spitsnieuws.nl, *Jongeren in schulden door mobiele abbo's,* 21-05-2013, http://www.spitsnieuws.nl/archives/tech/2013/05/jongeren-in-schulden-door-mobiele-abbo, geraadpleegd 31 januari

Spitsnieuws.nl, *Jongeren zitten diep in de schulden,* 20-07-2013, http://www.spitsnieuws.nl/archives/binnenland/2013/07/jongeren-zitten-diep-in-de-schulden, geraadpleegd 31 januari

Stichting Weet Wat Je Besteedt, *Money Mindsets. Alles wat jongeren moeten weten over geld.* Utrecht: WWJB, 2011

Veldheer, V., J. Jonker e.a., *Een beroep op de burger. Minder verzorgingsstaat, meer eigen verantwoordelijkheid?* Den Haag: SCP, 2012

8. De schuldige ontvanger en de gefrustreerde gever – Bredewold & Linders

Baart, A., Kwetsbaarheid mag meer aandacht krijgen. *Tijdschrift voor Sociale Vraagstukken*, 24 mei 2013, www.socialevraagstukken.nl, geraadpleegd 3 juli 2013

Baart, A. & Christa Carbo, *De zorgval.* Thoeris, 2013

Beneken Genaamd Kolmer, D.M., Mantelzorgers en hun rangschikking van zorgmotieven: Wat motiveert mantelzorgers om langdurig voor hun naasten te zorgen? *Tijdschrift voor systeemtherapie*, 19 (1), p. 36-58, 2007a

Beneken Genaamd Kolmer, D.M., *Family Care and Care Responsibility. The Art of Meeting Each Other.* Delft: Eburon, 2007b

Bosman & Vos, *Interview met Wim Spierings over decentralisatie Jeugdzorg*, http://www.bosmanvos.nl/nieuws/interview-met-wim-spierings-over-decentralisatie-jeugdzorg/, geraadpleegd 29 januari 2013

Bredewold, F.H., *Lof der oppervlakkigheid. Contact tussen mensen met een verstandelijke of psychiatrische beperking en buurtbewoners.* Amsterdam: Van Gennep, 2014

Bredewold, F.H. & J. Baars-Blom, *Kwetsbaar evenwicht. Een onderzoek naar mantelzorgers van mensen met psychiatrische problematiek, allochtone mantelzorgers en jonge mantelzorgers in de gemeente Zwolle.* Zwolle: Centrum voor Samenlevingsvraagstukken, 2009

Duyndam, J., Zorg en generositeit. Manschot, H. & M. Verkerk (red.), *Ethiek van zorg. Een discussie.* Amsterdam: Boom, 1994

Gelauff, M. & H. Manschot, Zingeving als funderende dimensie van zorg. Voorstel voor een perspectiefwisseling op de zorgrelaties. Verkerk, M., *Denken over zorg. Concepten en praktijken.* Utrecht: Elsevier/De Tijdstroom, 1997

Gooberman-Hill, R. & S. Ebrahim, Informal care at times of change in health and mobility: a qualitative study. *Age and Ageing*, 35, p. 261-266, 2006

Goovaart, M.M. & M. Moree, Georganiseerde naastenliefde. Contradictie of wenkend perspectief? Hortulanus, R.P. & J.E.M. Machielse (red.), *Wie is mijn naaste? Het sociaal debat 2.* 's-Gravenhage: Elsevier bedrijfsinformatie, 2000

Grootegoed, E., *Dignity of Dependence. Welfare State Reform and the Struggle for Respect.* GVO&PL, 2013

Grootegoed, E., Tussen zelfredzaamheid en eigen regie: Wmo en de autonomie-paradox. Steijaert, J. & R. Kwekkeboom, *De zorgkracht van sociale netwerken.* Utrecht: Movisie, 2012

Gunderson, M., Being a burden. Reflections on refusing medical care. *Hastings Center Report*, 34 (5), p. 3743, 2004

Heijst, A. van, *Ontferming voor Dummies. Zorgverhoudingen in een religieus verleden en een*

Kampen, I., I. Verhoeven & L. Verplanke (red.), *De affectieve burger. Hoe de overheid verleidt en verplicht tot zorgzaamheid.* Amsterdam: Van Gennep, 2013

Komter, A.E., De rol van eigenbelang in menselijke generositeit. *Mens en Maatschappij*, 82 (4), p. 359-375, 2007

Komter, A.E., Zorgen voor morgen. Over hedendaagse solidariteit en wederkerigheid. Arts, W., H. Entzinger & R. Muffels (red.), *Verzorgingsstaat vaar wel*, p. 161177. Assen: Koninklijke Van Gorcum, 2004

Komter, A.E., *Solidariteit en de gift. Sociale banden en sociale uitsluiting.* Amsterdam: Amsterdam University Press, 2003

Lévi-Strauss, C., The principle of reciprocity. Komter, A. (ed.), *The gift. An Interdisciplinary Perspective*, p. 18-26. Amsterdam: Amsterdam University Press, 1996 [1949]

Linders, L., *De betekenis van nabijheid. Een onderzoek naar informele zorg in een volksbuurt.* Den Haag: Sdu, 2010

Linders, L., E. Wouters & I. Tamrouti, *'Van mantelzorg heb je nooit respijt'. De respijtzorgbehoefte en overige ondersteuningsbehoeften van mantelzorgers in Eindhoven.* Eindhoven: Fontys Hogeschool Sociale Studies, 2013

Mans, I., *Zin der zotheid. Vijf eeuwen cultuurgeschiedenis van zotten, onnozelen en zwakzinnigen.* Amsterdam: SWP, 1998

Manschot, H., Kwetsbare autonomie: Over afhankelijkheid en onafhankelijkheid in de ethiek van de zorg. Manschot, H. & M. Verkerk (red.), *Ethiek van de zorg. Een discussie.* Amsterdam: Boom, 1994

Mauss, M., *The Gift. The Form and Reason for Exchange in Archaï Societies.* London: Routledge Classics, 1990 [1923]

Movisie, *Cliëntenparticipatie en de decentralisaties*, http://www.movisie.nl/sites/default/files/alfresco_files/Factsheet3_Clientenparticipatie_Decentralisaties%20[MOV-1718311-0.1].pdf Factsheet nr. 3, november 2011 – herziene versie augustus 2013, geraadpleegd 29 januari 2013

Newton, K., Social trust: individual and cross-national apporaches. *Portuguese Journal of Sociale Science*, 3, 2004

Nyfer, *Integrale zorg in de buurt.* Utrecht: Nyfer, 2012

Osteen, M., *The Question of the Gift. Essays Across Disciplines.* London: Routledge, 2002

Pessers, D.J.W.M., *Goede en kwade trouw in het openbaar bestuur.* Lezing voor de Raad voor het openbaar bestuur. Den Haag, 12 september 2006

Pessers, D.J.W.M., *Liefde, solidariteit en recht. Een interdisciplinair onderzoek naar het wederkerigheidsbeginsel.* Amsterdam, 1999

Prisma, *Prisma en de Wmo*, 2013, http://www.prismanet.nl/over-prisma/prisma-en-de-wmo/, geraadpleegd 29 januari 2013

Rob, *Loslaten in vertrouwen. Naar een nieuwe verhouding tussen overheid, markt en samenleving.* Den Haag: Raad voor het openbaar bestuur, 2012

RMO, *Rondje voor de publieke zaak. Pleidooi voor de solidaire ervaring.* Den Haag: Raad voor Maatschappelijke Ontwikkeling, 2013

Sahlins, S., *Stone Age Economics.* London: Tavistock Publications, 1972

Steyaert, J. & R. Kwekkeboom, *Op zoek naar duurzame zorg. Vitale coalities tussen formele en informele zorg.* Utrecht: Movisie, 2010

Tonkens, E.H., J. van den Broeke & M. Hoijtink, *Op zoek naar weerkaatst plezier. Samenwerking tussen mantelzorgers, vrijwilligers, professionals en cliënten in de multiculturele stad.* Amsterdam: Pallas Publications, 2009

Tonkens, E.H. & M. de Wilde (red.), *Als meedoen pijn doet. Affectief burgerschap in de wijk.* Amsterdam: Van Gennep, 2013

Tronto, J.C., *Caring Democracy. Markets, Equality and Justice.* New York: New York University Press, 2013

Tronto, J.C., *Moral Boundaries. A Political Argument for an Ethic of Care.* New York: Routledge, 1993

Tweede Kamer, *Hervorming van de langdurige ondersteuning en zorg.* Tweede Kamer, 103091, 25 april 2013

Verkerk, M., Zorg of contract: een andere ethiek. Manschot, H. & M. Verkerk (red.), *Ethiek de van zorg. Een discussie.* Amsterdam: Boom, 1994

Vliet, K. van, J.W. Duyvendak e.a., *Toekomstverkenning ten behoeve van een beroepenstructuur in zorg en welzijn.* Utrecht: Verwey-Jonker Instituut, 2004

VWS, *Memorie van toelichting Wet maatschappelijke ondersteuning 2015.* Concept-versie. Den Haag: Ministerie van Volksgezondheid Welzijn en Sport, 16 augustus 2013

Yan, Yunxiang, Unbalanced reciprocity. Asymmetrical gift giving and social hierarchy in
rural China. O... M... *Th... Q...* ...

..., ..., *..., 9, p. 003-011, 2012*

Baumeister, R.F., A.M. Stillwell & T.F. Heatherton, Guilt: An interpersonal approach.
Psychological Bulletin, 115, 2, p. 243-67, 1994

Bolivar D., *Victim-Offender Mediation and Victim's Restoration: a Victimological Study in the
Context of Restorative Justice*, 2012

Bolivar, D., Conceptualizing victims' 'restoration' in Restorative Justice. *International Review
of Victimology*, 17, 3, p. 237-265, 2010

Boom, A. ten & K.F. Kuijpers, Wat wil het slachtoffer? *Justitiële Verkenningen*, 33, 3, p. 39-
49, 2007

Burik, A. van, A. van Heim e.a., *Evaluatie slachtoffer-dadergesprekken. Een onderzoek naar
de landelijke implementatie van slachtoffer-dadergesprekken*. Woerden: Van Montfoort
Collegio, 2010

Eglash, A., Creative Restitution: Some Suggestions for Prison Rehabilitation Programs.
American Journal of Correction, 20, p. 20-34, 1958

Eglash, A. & P. Keve, Payments on 'a Debt to Society'. *N.P.P.A. News: A Publication of the
National Probation and Parole Association*, 36, 4, 1957

Elbersen, M., Werken aan herstel. Het slachtoffer in beeld. Menger, A., L. Krechtig & J.
Bosker, *Werken in gedwongen kader. Methodiek voor het forensisch sociale werk*, p. 415-
422. Amsterdam: SWP, 2013

Garsse, L. van, Daders en herstel: tussen plicht, behoefte en capaciteit. Weijers, I. (red.), *Slachtoffer-dadergesprekken in de schaduw van het strafproces*. Den Haag: Boom Lemma, 2012

Groen, M., De spiraal van schaamte en geweld. *Justitiële Verkenningen*, 33, 3, p. 30-38, 2007

Hoek, A. van & G.J. Slump, *Restorative Justice in Europe. Slachtoffers, herstelrecht en herstelgerichte (jeugd)detentie: bespreking van Nederlandse en Vlaamse literatuur*. Amsterdam:
Stichting Restorative Justice Nederland, 2013

Hoek, A. van, G.J. Slump e.a., *De toepassing van herstelrecht in Nederland: toekomstvisie en advies*. Amsterdam: Stichting Restorative Justice Nederland, 2011, www.restorativejustice.nl

Kelk, C., De doorleving van de schuld in de strafrechtspleging. *Eindelijk gerechtigheid?! Inleidingen van het symposium over bemiddeling tussen slachtoffer en dader, gehouden op 9 november 1994 in Utrecht*. Den Bosch: NFR, 1994

Kempe, G.Th., De dader en zijn daad. *Nederlands Tijdschrift voor Criminologie*, 1, p. 3-10, 1959

Ketenwerkgroep slachtoffers en tenuitvoerlegging, *Evenwicht: naar een weging van belangen van slachtoffers in de fase van tenuitvoerlegging van straffen en maatregelen*, 2012

Krechtig, L., Morele praktijken. *Proces*, 88, 3, p. 174-181, 2009

Lacey, N. & H. Pickard, From the Consulting Room to the Court Room? Taking the Clinical Model of Responsibility Without Blame into the Legal Realm. *Oxford Legal Studies Research Paper*, 53, 2012

Lamers, J., *Op het matje bij de rechter. Een criminele roman van brave burgers en boze boefjes voor de politierechter*. Amsterdam/Brussel: Elsevier, 1959

Matthews, J., Forgotten victims. Light, R. (red.), *Prisoners families*. Bristol: Bristol and Bath Centre for Criminal Justice, 1989

Mirsky, L., *Albert Eglash and Creative Restitution: A Precursor to Restorative Practices*, 2003, http://www.iirp.edu/article_detail.php?article_id=NDEy#note1, geraadpleegd 29.04.2014

Nationale Ombudsman, *Spelregels voor het omgaan met slachtoffers. Hoe gaat de overheid in het strafproces behoorlijk om met slachtoffers van geweldsmisdrijven?* Den Haag: Nationale Ombudsman, 2012

Pelican, C., On the efficacy of Victim-Offender-Mediation in cases of partnership violence in Austria, or: Men don't get better, but women get stronger: is it still true? *European Journal on Criminal Policy and Research*, 16, 1, p. 49-67, 2010

Prein, H., Slachtoffer-dadergesprekken en mediation. Weijers, I. (red.), *Slachtoffer-dadergesprekken in de schaduw van het strafproces*. Den Haag: Boom Lemma, 2012

Roose, T., *De groezelige groenteman en andere gewone mensen. Dertig jaar wetsovertreders*. Utrecht: Reclassering Nederland, 2010

Sorgdrager, W., Reageren op misdaad. Een reflectie. Ouwerkerk, J., T. de Wit e.a. (red.), *Hoe te reageren op misdaad? Op zoek naar de hedendaagse betekenis van preventie, vergelding en herstel*. Den Haag: Sdu, 2013

Stokkom, B. van, Moral emotions in restorative justice conferences. Managing shame, designing empathy. *Theoretical Criminology*, 6, 3, p. 339-360, 2002

Thompson, D., Towards restauration, victim awareness programmes for adult offenders in South-Australia. Congrespaper, 1999, httr.://www............................

..........., p. 9-18. Arnhem: Gouda Quint, 1994

Vogelvang, B.O., Recht doen in en aan het gezin. Bevorderen van desistance from crime tijdens reclasseringstoezicht met de gezinsrelaties als aangrijpingspunt. Vliet, J. van, A. Andreas & B. Keuning (red.), *Verbinden in de keten. Forensisch psychiatrisch toezicht bekeken.* Amsterdam: SWP, 2012

Walgrave, L. & J. Braithwaite, Shame, Blame and Restoration. *Justitiële Verkenningen*, 25, 5, p. 71-81, 1999, *www.slachtofferinbeeld.nl*, geraadpleegd 29.04.2014

Weijers, I., *Schuld en schaamte. Een pedagogisch perspectief op het jeugdstrafrecht.* Houten/ Diegem: Bohn Stafleu Van Loghum, 2000

Zebel, S., *Bemiddelde contacten tussen slachtoffers en daders na strafbare feiten. Effectonderzoek naar de Nederlandse slachtoffer-dadergesprekken.* Utrecht: Slachtoffer in Beeld, [z.j.]

Zehr, H., *The Little Book of Restorative Justice.* Intercourse, PA: Good Books, 2002

Conclusie – Verhagen, Linders & Ham

Bähre, E. e.a., *Schuldencoöp. Jongeren van hood naar hoop.* Leiden: Universiteit Leiden, 2012

CBS, Arbeidsrekeningen: beloning en arbeidsvolume van werknemers; 1995-kw1 2014. Den Haag: CBS, 2014, statline.cbs.nl, 25 juni 2014

Dekker, P. & J. den Ridder, Samenleving snakt naar overtuigende correctie van hebzucht aan de top, www.socialevraagstukken.nl, 2 oktober 2013

Graeber, D., *Schuld. De eerste 5000 jaar.* Amsterdam: Business Contact, 2012

Piketty, T., *Capital in the Twenty-First Century.* Harvard: Harvard University Press, 2014

...geclassering.

ERIK BÄHRE werkt als economisch antropoloog aan de Universiteit Leiden en initieerde het Economy is Culture Lab (E=CL), een platform dat beoogt een antropologische blik op economie te presenteren.

FEMMIANNE BREDEWOLD is onderzoeker bij het Centrum voor Samenlevingsvraagstukken in Zwolle en promoveerde begin 2014 op *Lof der oppervlakkigheid*, over contact tussen mensen met een verstandelijke of psychiatrische beperking en buurtbewoners.

MARCEL CANOY is sinds 2008 hoofdeconoom bij Ecorys. Daarvoor bekleedde hij diverse functies bij het Centraal Planbureau. Van 2008-2013 was hij deeltijdhoogleraar Economie en Regulering van de Zorg aan de Tilburg University. Sinds juli 2013 is hij columnist van het *Financieele Dagblad* en sinds april 2014 *distinguished lecturer* aan de Erasmus School of Accounting and Assurance. Vanaf 1 september 2014 is hij tevens deeltijdhoogleraar aan de Universiteit Utrecht.

RODRIGO FERNANDEZ is gepromoveerd als financieel geograaf aan de Universiteit van Amsterdam. Momenteel doet hij aan de Katholieke Universiteit Leuven een vergelijkend onderzoek naar vastgoedzeepbellen in verschillende landen. Bij SOMO is hij onderzoeker naar belastingontwijking door multinationale ondernemingen en het schaduwbanksysteem.

ROBIN FRANSMAN studeerde politicologie en was werkzaam in de ICT en de financiële sector, onder meer als toezichthouder bij de Autoriteit Financiële Markten. Sinds 2000 houdt hij zich beroepsmatig bezig met economische vraagstukken. Van 2007 tot 2014 was hij werkzaam als adjunct-directeur van Holland Financial Centre.

ROELAND VAN GEUNS is lector Armoede en Participatie aan de Hogeschool van Amsterdam. Hij doet onderzoek naar de achtergronden van schulden, armoedeproblematiek en werkloosheid. Zijn focus is daarbij gericht op het ondersteunen van burgers die dit raakt. Daarnaast is hij zelfstandig adviseur en onderzoeker op dezelfde terreinen.

MARCEL HAM is hoofdredacteur van het *Tijdschrift voor Sociale Vraagstukken*. Met Justus Uitermark en Amy-Jane Gielen was hij redacteur van een vorig jaarboek van dat tijdschrift: *Wat werkt nu werkelijk? Politiek en praktijk van sociale interventies.*

NADJA JUNGMANN is lector Schulden en Incasso aan de Hogeschool Utrecht. Ze is gepromoveerd op schuldhulpverlening, en is in Nederland een autoriteit op het gebied van schuldenproblematiek, blijkens de vele projecten die zij op dit terrein heeft uitgevoerd, de talrijke congressen waar ze spreekt en haar vele publicaties over dit onderwerp.

LILIAN LINDERS is lector Beroepsinnovatie Social Work bij Fontys Hogeschool Sociale Studies en geeft leiding aan de Wmo-werkplaats Noord Brabant. Het thema immateriële schulden speelt een rol in haar boek *De betekenis van nabijheid*. Ook publiceerde zij (met Femmianne Bredewold) het artikel 'Wederkerigheid als basisconcept in Zorg en Welzijn' in het tijdschrift *Oikonde*.

TAMARA MADERN is wetenschappelijk medewerker bij het Nibud, het Nationaal Instituut voor Budgetvoorlichting, kenniscentrum op het gebied van de huishoudfinanciën. Zij deed onderzoek naar het financiële gedrag van scholieren.

JELLE VAN DER MEER is freelance onderzoeksjournalist. Hij is auteur, samen met Hella Rottenberg, van *Opwaaiende toga's. Achter de schermen van de rechtbank* (Van Gennep, 2013).

ANNEKE MENGER is lector Werken in Justitieel Kader aan de Hogeschool Utrecht en publiceerde diverse boeken en een groot aantal artikelen (nationaal en internationaal), merendeels over forensisch sociale vraagstukken.

MARC RÄKERS werkt voor de stichting Eropaf!, is bestuurder van de coöperatie Eropaf! & Co en werkt één dag per week voor het lectoraat Outreachend Werken en Innoveren van de Hogeschool van Amsterdam.

ANNA VAN DER SCHORS is wetenschappelijk medewerker bij het Nibud en deed onder meer onderzoek naar schulden bij studenten en naar de studiefinanciering ~~ ~~ ~~ ~~ ~~

JAAP VAN VLIET werkt als onderzoeker bij het lectoraat Werken in Justitieel Kader van de Hogeschool Utrecht en als beleidsadviseur bij Leger des Heils Jeugdzorg & Reclassering. Hij publiceerde onder meer over reclasseringswerk.